Calligraphie

Marie Lynskey

MODUS VIVENDI

Calligraphie

Marie Lynskey

MODUS VIVENDI

© 2000 D&S Books

Paru sous le titre original de : Calligraphy - A Beginner's Art Guide

LES PUBLICATIONS MODUS VIVENDI INC.

3859, autoroute des Laurentides

Laval (Québec)

Canada

H7L 3H7

Directrice de la publication : Sarah King

Assistante de la publication : Judith Millidge

Chargée de projet : Clare Haworth-Maden

Conception graphique : Axis design

Design de la couverture : Marc Alain

Infographie : Modus Vivendi

Traduction : Laurette Therrien

Photographie : Paul Forrester

Dépôt légal, 4e trimestre 2002

Bibliothèque nationale du Québec

Bibliothèque nationale du Canada

Bibliothèque nationale de Paris

ISBN : 2-89523-133-8

Canada

Nous reconnaissons l'aide financière du gouvernement du Canada par l'entremise du Programme d'aide au développement de l'industrie de l'édition (PADIÉ) pour nos activités d'édition.

Gouvernement du Québec — Programme de crédit d'impôt pour l'édition de livres — Gestion SODEC

Table des matières

Introduction

Les produits fabriqués en série et les objets jetables sont monnaie courante de nos jours, avec pour résultat que l'écriture manuscrite et les documents enluminés qui ont été réalisés avec tout le temps et l'attention que cela exige prennent de plus en plus de valeur et méritent qu'on leur réserve une place privilégiée dans nos vies mouvementées. Comme nous avons constamment devant les yeux des mots imprimés sur papier ou sur l'écran de nos ordinateurs, il est très rafraîchissant et satisfaisant, pour ceux qui en apprécient la valeur, d'être capable de produire et d'admirer d'élégantes lettres réalisées à force de patience et d'application, pour le seul plaisir de la chose.

fig. 1. Reconstitution de l'écriture cunéiforme sur une tablette d'argile.

Histoire de l'écriture

On peut faire remonter l'histoire de l'écriture aux temps anciens de l'écriture cunéiforme des Sumériens, il y a 5000 ans. On se servait alors de tablettes d'argile : les dessins étaient imprimés sur l'argile humide, que l'on faisait ensuite cuire en profondeur. On a retrouvé de nombreuses tablettes du genre (fig. 1).

Le mot cunéiforme signifie « en forme de coin », parce que les outils utilisés pour transmettre l'information gravaient sur l'argile des petites marques en forme de larges coins, qui s'amincissaient pour finir en pointes fines. Les premières images tentaient de décrire l'information que le scribe essayait de transmettre de manière picturale, mais peu à peu, on adopta un ensemble plus restreint de symboles représentant des sons parlés plutôt que des choses. Bien que le nombre de symboles ait sans doute diminué au fil des siècles, on était encore loin de l'alphabet de 26 lettres que nous connaissons aujourd'hui. L'écriture cunéiforme s'étendit avec la conquête sumérienne par les Babyloniens, qui à leur tour furent vaincus par les Assyriens. Les peuples conquérants adoptèrent l'écriture cunéiforme, et les autochtones qui fuirent le pays la propagèrent, ce qui permit sa diffusion jusqu'au Moyen Orient.

En même temps que les Sumériens, les Égyptiens développaient leur propre écriture, mais ils allèrent plus loin en développant une série plus restreinte de symboles. Pour l'essentiel, leurs hiéroglyphes (le mot signifie « écriture imprimée sacrée ») étaient des systèmes d'écriture en images, et l'usage d'un calame ou d'une plume et de papyrus simplifiait la tâche, comparativement aux tablettes d'argile des Sumériens (fig. 2). Les scribes égyptiens utilisaient de l'encre noire faite de carbone mélangé avec de l'eau et de la gomme, ainsi que de l'encre rouge faite de pigments naturels de terre rouge, mélangés de la même manière.

Le papyrus est fait avec le brai des roseaux qui poussent en Égypte ; on en fait des rouleaux dont une seule face sert à l'écriture, l'autre ne se prêtant pas à cet usage (fig. 3). Pour fabriquer le papyrus, on retire la couche supérieure qui recouvre le roseau et on coupe le brai intérieur en fines épaisseurs. On étend les bandes obtenues côte à côte dans le sens de la longueur, leurs bords se chevauchant légèrement, puis une seconde couche de bandes est posée à angle droit par-dessus la première rangée. Les couches sont ensuite battues à plat, pour enlever un peu d'humidité. On laisse sécher le papyrus sous pression, de manière à le garder plat et souple, et la gomme naturelle contenue dans la plante fixe les bandes ensemble pour former une seule feuille.

Les Égyptiens s'accrochèrent à leur écriture picturale longtemps après que leurs voisins aient commencé à concevoir des systèmes d'écriture plus efficaces comprenant un nombre restreint de symboles. Les Phéniciens adoptèrent un style d'écriture qui tenait à la fois de l'écriture cunéiforme et des hiéroglyphes, développant un alphabet qui contenait un nombre de lettres similaire à celui que nous utilisons de nos jours (fig. 4).

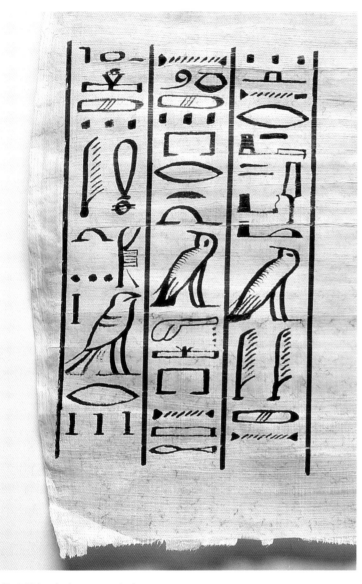

fig.2 Hiéroglyphes reconstitués sur papyrus.

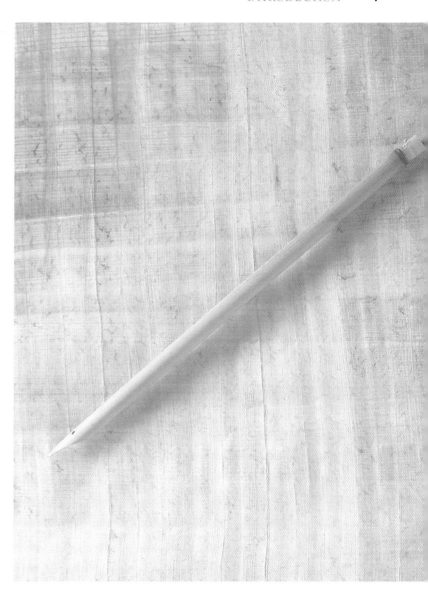

fig. 3 Papyrus fait de bandes de roseau qui se chevauchent et calame.

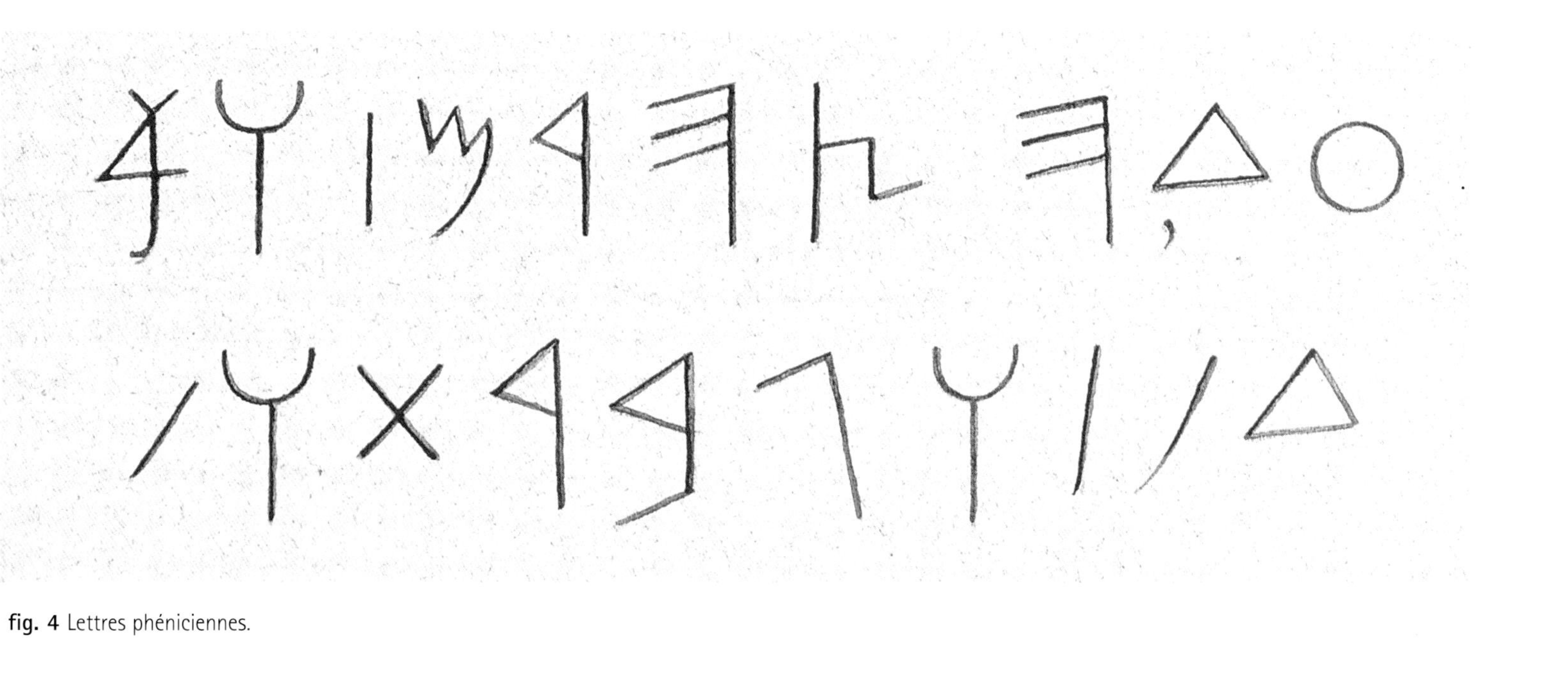

fig. 4 Lettres phéniciennes.

C'est à partir de cet alphabet que les Grecs développèrent leurs techniques d'écriture. Ils adaptèrent les lettres phéniciennes en y incorporant des signes pour représenter leurs propres sons. Les lettres anguleuses de certains styles d'écriture grecs (fig. 5) sont peut-être dues à l'usage des tablettes de cire : il est plus facile de tracer des lignes droites sur la cire avec un style de fer ou de bois. Les tablettes de cire étaient faites d'un plateau de bois avec un petit rebord tout autour et une mince couche de cire couvrant toute la surface interne. Une fois la tablette couverte d'écritures, les lettres pouvaient être effacées sans difficulté en faisant fondre la cire légèrement avant de la lisser à nouveau.

Comme le papyrus devenait plus coûteux et difficile à trouver en raison de la détérioration de la route méditerranéenne du commerce et du déclin du pouvoir de Rome, il fut peu à peu remplacé par le vélin et le parchemin. Le vélin est fait de peau de veau ou de chèvre traitée, alors que le parchemin est fabriqué avec la peau de brebis. Tous deux présentent une surface très lisse sur laquelle il est facile d'écrire ; les feuilles peuvent être blanches ou crème, avec de très petites, mais très attrayantes veinures courant sur la peau. Les scribes hébreux, qui écrivaient de droite à gauche, avaient déjà utilisé le cuir comme surface d'écriture, et on croit que le vélin fut produit pour la première fois à Pergame, en Asie mineure (le mot allemand pour vélin, « pergament », semble confirmer cette théorie).

L'écriture romaine suivit celle des Grecs, et les alphabets latins variaient des lettres capitales dessinées avec précision — tel le Quadrata, ou capitale carrée, un alphabet qui était gravé dans la pierre (fig. 6) — à des styles plus libres et coulants, d'écriture rapide, comme le Rustica (fig. 7), qui servait pour les documents. Ces styles se sont répandus dans tout l'Empire romain. Le vélin fut utilisé dans la fabrication de livres, alors que le papyrus formait des rouleaux.

On conçut également la plume taillée dans une penne, et elle devint un outil d'écriture largement utilisé. Les plumes sont beaucoup plus flexibles que les calames (styles de roseau) ; par conséquent, les styles d'écriture auxquels elles donnèrent naissance évoluèrent passablement (voir p. 18 pour les instructions de fabrication de votre propre plume).

Les écritures arabes découlent également du système phénicien et culminent avec la rédaction du Coran, qui standardisa

fig. 5 Lettres grecques.

fig. 6 Capitales Quadrata.

fig. 7 Capitales
Rustica.

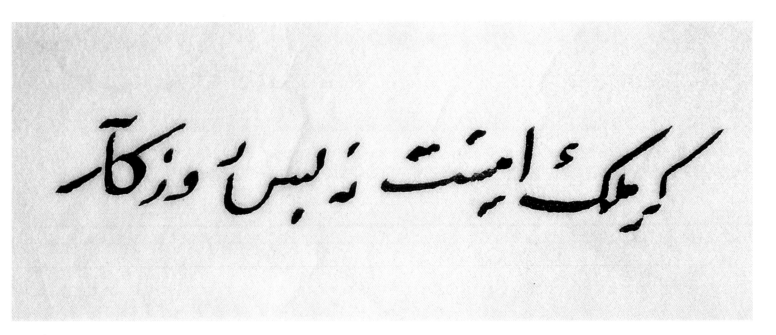

fig. 8 Écriture arabe sur vélin.

l'écriture durant la première moitié du VIIe siècle. Elle se répandit rapidement dans les régions conquises par les Arabes, mais sa diffusion en Europe de l'Ouest fut freinée par les défaites arabes aux mains des Francs. Certaines des plus anciennes écritures sur vélin sont arabes (fig. 8).

L'écriture chinoise date d'au moins 1000 ans avant J.-C. Elle se développa à peu près de la même manière que l'écriture cunéiforme, utilisant des formes picturales, mais les disposant en colonnes verticales ; encore aujourd'hui, elle fonctionne toujours suivant cette méthode (fig. 9). C'est aux Chinois que nous devons l'invention du papier, aux alentours de l'an 100 après J.-C. (ils avaient d'abord utilisé le bois, le bambou et la soie comme surfaces d'écriture, mais le papier se révéla être le matériau le plus pratique). Son usage s'est peu à peu répandu, d'abord au Japon, puis vers l'Occident, en passant par les pays islamiques jusqu'à l'Espagne et le reste de l'Europe. Un des manuscrits européens les plus anciens à avoir été écrits sur du papier est daté de 1109, et relate un exploit du roi Roger de Sicile. Le texte est écrit en arabe et en grec. On se sert de papier en Angleterre à partir du milieu du XIIIe siècle, mais le papier manufacturé apparut dans ce pays seulement vers la fin du XVe siècle, alors qu'une petite fabrique de papier fut érigée dans le Hertfordshire par John Tate. Deux autres siècles allaient s'écouler avant que son usage ne se répande et qu'il supplante le vélin comme principale surface d'écriture.

Le développement des styles d'écriture en Europe

Revenons aux écritures romaines tardives. L'alphabet oncial fut développé et utilisé dans les livres romains (fig. 10) et devint plus tard l'écriture des monastères et des missionnaires celtes dispersés dans toute l'Europe pour y répandre le christianisme, devenu la religion officielle de Rome au cours du IVe siècle. Les Romains écrivaient sur du vélin avec des plumes, car ces outils taillés avec précision permettaient de tracer des lettres beaucoup plus fines.

Avec l'éclatement de l'Empire romain au Ve siècle, les communications à grande échelle se détériorèrent et l'Église catholique romaine joua presque à elle seule le rôle de gardienne des arts et de l'éducation au cours du haut moyen âge. L'alphabet oncial, adopté par les scribes chrétiens, fut l'écriture dominante dans les livres de l'Occident du Ve au VIIIe siècles. Les chrétiens avaient besoin de textes expliquant leur religion pour pouvoir répandre leur message, et le mot grec « biblos » décrit leur livre premier — ou la Bible — qui fut copié, recopié et enluminé un

nombre incalculable de fois. La production des manuscrits chrétiens enluminés prospéra dans des parties isolées d'Europe. Les VIIe et VIIIe siècles virent la création de quelques-uns des manuscrits les plus complexes et les plus attrayants jamais produits dans ce que l'on appela le style insulaire. Missionnaires et moines emmenaient des livres dans leurs voyages, ce qui permit à différents styles d'écriture de se propager en Europe. Les livres étaient prêtés et copiés (c'était l'unique manière d'acquérir un nouveau livre), et de nombreux manuscrits moyenâgeux montrent les moines au travail, avec leurs plumes, styles et couleurs bien visibles.

Bien que l'alphabet oncial était fait de lettres majuscules (capitales), un alphabet minuscule (petit) prenait forme également. L'écriture onciale se détériora aux alentours du IXe siècle, ses

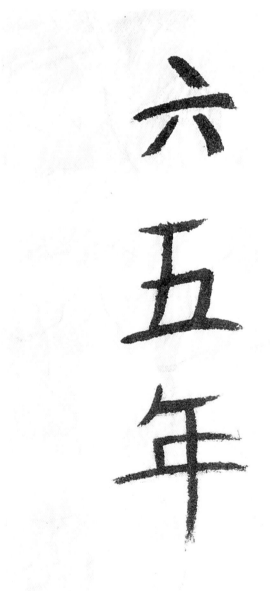

fig. 9 Écriture chinoise.

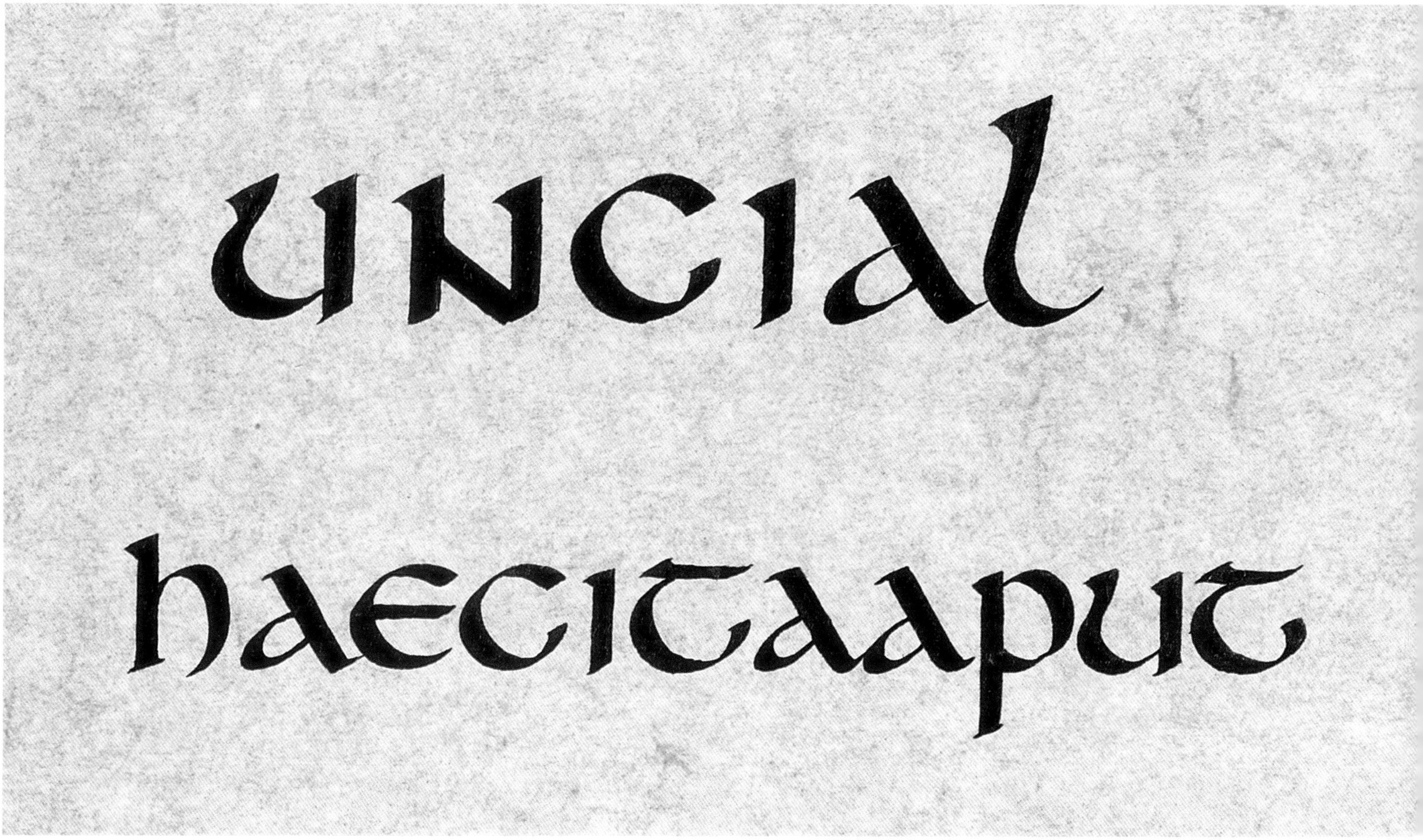

fig. 10 Écriture onciale.

fig. 11 Écriture semi-onciale.

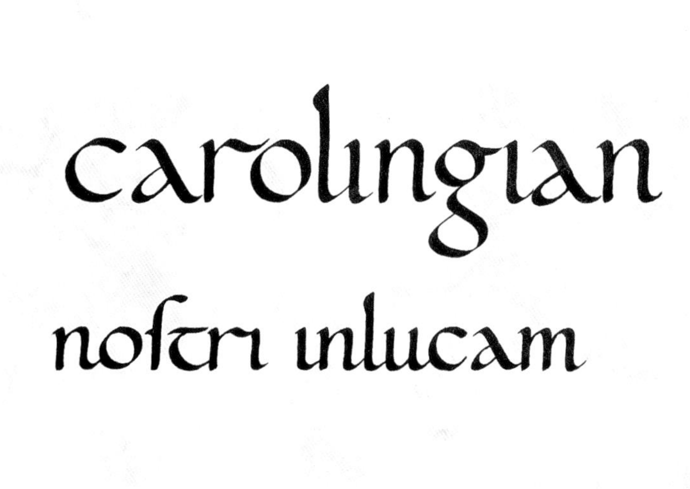

carolingian

nostri inlucam

fig. 12 Écriture carolingienne.

merouingian

sid omne cdnfusum

fig. 13 Écriture mérovingienne.

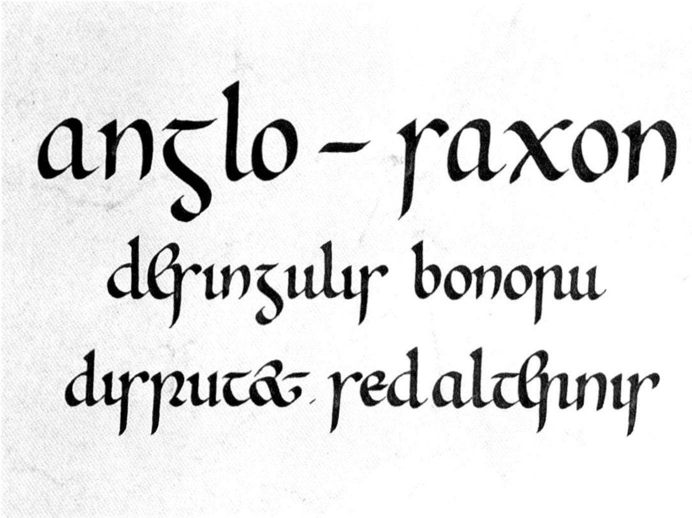

anglo - raxon

dsfinzulir bonopu
dirputæ red alchinir

fig. 15 Écriture anglo-saxonne.

virigothic

nomineaheudimsr q

fig. 16 Écriture wisigothique.

gothic
Op lyn houet

fig. 18 Écriture gothique.

textura
Nota in aduentu

fig. 19 Écriture textura.

insular

iohannis furrexit

fig. 14 Écriture insulaire.

beneventan

quia laem nonptopæ

fig.17 Écriture bénéventine.

rotunda

œuli domini fuper

fig. 20 Écriture rotunda.

grandes dimensions et son caractère solennel furent remplacés par un style plus rapide et exigeant moins d'espace. Mélange d'écriture onciale solennelle servant aux grands travaux et d'une version cursive se prêtant mieux aux textes familiers, l'écriture semi-onciale apparut graduellement (fig. 11).

Le style majeur qui suivit fut développé grâce à l'empereur romain Charlemagne, qui désirait promouvoir l'éducation. Charlemagne, roi des Francs qui vécut de 742 à 814, donna son nom à l'écriture carolingienne (fig. 12), dont les lettres présentaient d'élégants traits ascendants et descendants très fluides. Le mécénat de Charlemagne conduisit à l'adoption généralisée des alphabets minuscules et nous pouvons suivre la formation d'une série de styles s'y rattachant de très près à travers l'Europe.

En France prévalait le style mérovingien (fig. 13), nommé ainsi en référence à la dynastie qui précéda celle de Charlemagne. Un style d'écriture insulaire (fig. 14) continuait de se développer dans le nord de la Grande-Bretagne et ne fut pas supplanté par le carolingien avant le milieu du XIXe siècle. L'écriture anglo-saxonne (fig. 15), influencée par les missionnaires romains, fut introduite par les moines d'Angleterre dans l'Europe continentale.

Le style wisigothique espagnol (fig. 16) survécut jusqu'au XIIe siècle, alors que l'écriture bénéventine (fig. 17) fut élaborée à Monte Cassino, dans le sud de l'Italie, au cours du IXe siècle et survécut jusqu'au XIIIe siècle. Tous ces styles d'écriture furent développés en Europe, et servirent dans les manuscrits produits dans divers centres d'apprentissage au cours du bas moyen âge.

Le XIIIe siècle vit émerger l'écriture gothique (fig. 18). Les lettres aux formes arrondies utilisées durant les siècles précédents devinrent peu à peu plus anguleuses, évolution qui culmina dans l'écriture textura (fig. 19) au XIVe siècle, avec sa couche dense et noire de lignes verticales attachées par des traits de la finesse d'un cheveu. Les manuscrits gothiques richement décorés, enluminés de feuilles d'or et reflétant les modes extravagantes, la vie courtoise et les idéaux romantiques populaires de l'époque étaient destinés aux grands protecteurs des arts. En Italie, le style rotunda (fig. 20), qui marquait un retour à une version plus ronde de l'écriture gothique, était particulièrement apprécié dans les livres de musique. Les styles gothiques prenaient beaucoup moins d'espace que l'écriture carolingienne et permettaient d'inscrire plus de texte dans une page. Le style gothique fut le premier à apparaître dans les livres imprimés produits pour la première fois au XVe siècle. Le nombre de livres fabriqués lentement à la main commença à décliner avec la disponibilité de plus en plus grande de livres imprimés ; ceux qui n'avaient jamais eu la chance de posséder des livres purent accéder enfin aux textes.

Une écriture très attrayante connue sous le nom de bâtarde (fig. 21) servit de pont aux changements majeurs qui allaient advenir dans les styles d'écriture durant la Renaissance. La bâtarde était à la fois une adaptation cursive et un amalgame des styles carolingien et gothique apparus en Europe au cours du XVe siècle. Les lettres sont bien recourbées, mais forment des pointes en angle au sommet et à la base. Bien qu'elle ait été dévellopée en tant que style d'écriture familier, on en trouve de très beaux exemples dans certains documents officiels et dans la poésie, mais pas dans les documents religieux.

L'Italie participa à l'introduction des styles de la Renaissance, qui étaient des tentatives de retour aux écritures plus simples qui avaient précédé les calligraphies gothiques. Certains types d'écriture — dont la carolingienne — servirent de modèle, aux nouveaux styles, mais ces derniers eurent peu à peu tendance à s'incliner vers la droite et à devenir de plus en plus cursifs, sans doute par souci de rapidité. Celui que l'on nomma italique devint rapidement très populaire et répandu. La cancelleresca, d'apparence soignée et solennelle, était une forme émergente de l'italique (fig. 22), alors que les lettres de style humanistique (fig. 23), d'une belle précision, évoluèrent suivant des styles romains antiques.

Avec la production généralisée des livres imprimés, nous arrivons enfin à l'écriture Copperplate cursive (fig. 24), née de l'action du burin — un outil de gravure avec une pointe fine — sur les planches d'imprimerie. Il faut savoir que l'expression « bas de casse », qui désigne les lettres minuscules, et l'expression « haut de casse », qui désigne les capitales, font référence aux casses, ou tiroirs, dans lesquels les imprimeurs conservaient leurs différents ensembles de lettres. On se servait de l'écriture Copperplate cursive pour former des lettres avec des arabesques fantastiques, les embellissant parfois au point de les rendre illisibles. Lorsque tracées à l'encre avec une plume à pointe fine, les lettres pouvaient être très belles, et elles remplissaient souvent les cahiers que bien des maîtres utilisaient pour enseigner l'écriture. À partir du début du XIXe siècle, on se mit à fabriquer des plumes d'acier en quantité. Comparées aux plumes naturelles, elles étaient plus faciles à se procurer et elles duraient plus longtemps ; par conséquent, elles furent utilisées sur une grande échelle.

fig. 21 Écriture bâtarde.

fig.22 Écriture cancelleresca.

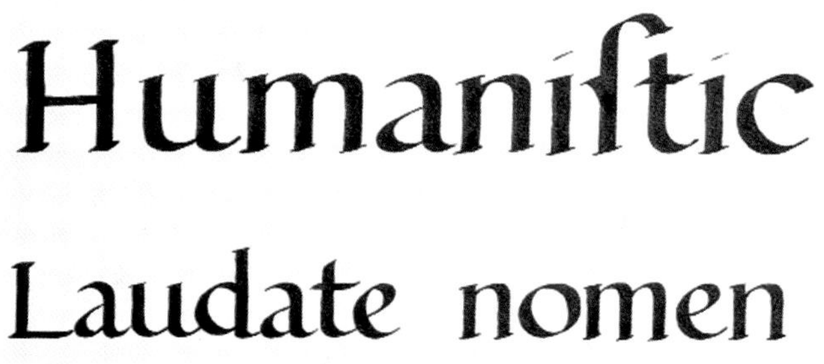

fig. 23 Écriture humanistique.

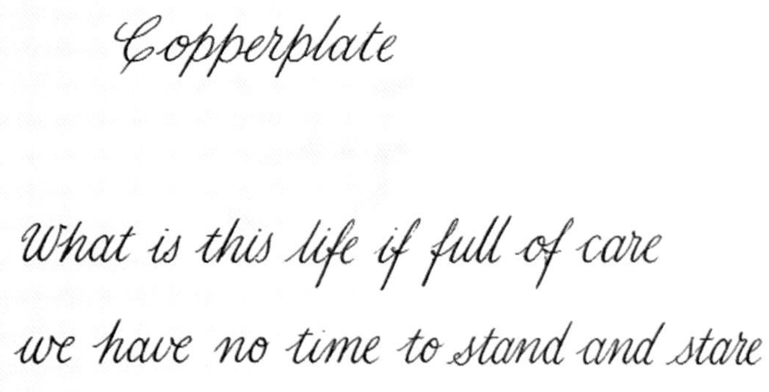

fig. 24 Écriture Copperplate cursive.

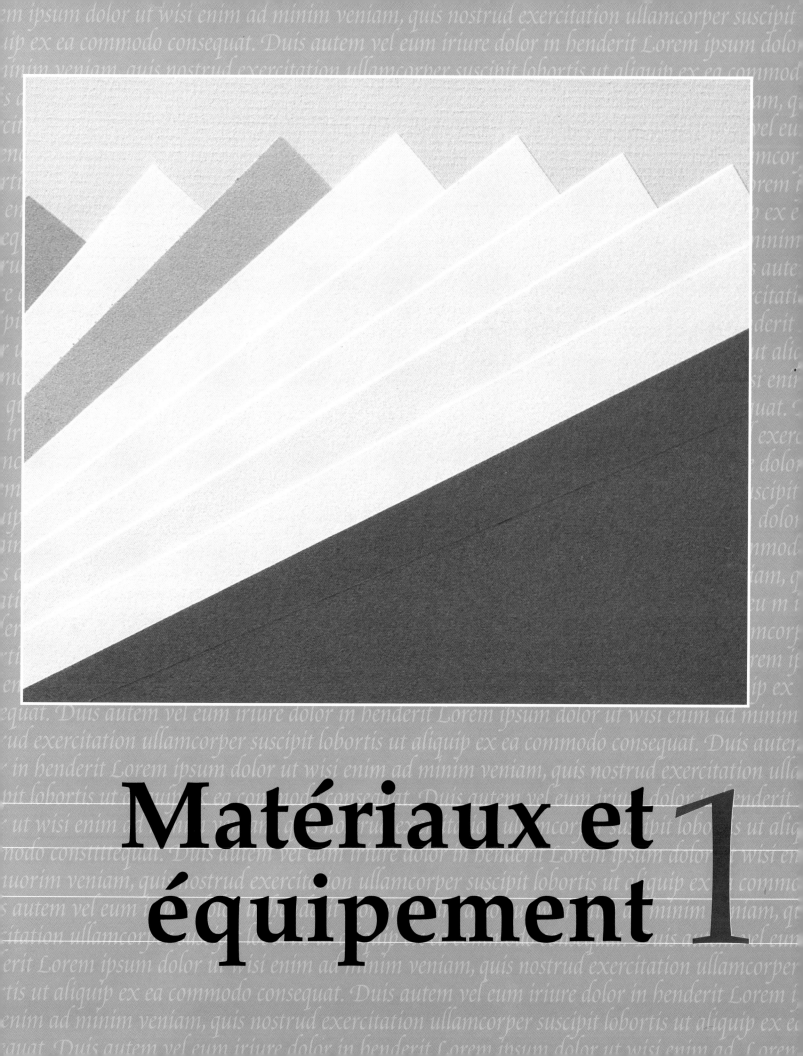

Matériaux et équipement 1

Matériaux et équipement du scribe

La calligraphie, ou l'étude et la reproduction des styles d'écriture historiques aussi bien que la création de nouveaux styles, est une activité récréative très populaire de nos jours. Les outils et matériaux du scribe et de l'enlumineur disponibles dans le commerce sont de divers genres et de diverses qualités. Nous parlerons ici de l'équipement et des matériaux dont vous aurez besoin pour commencer.

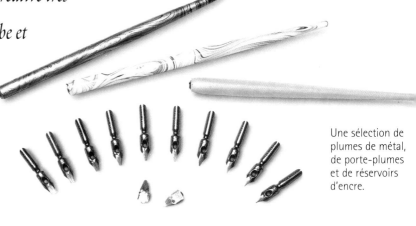

Une sélection de plumes de métal, de porte-plumes et de réservoirs d'encre.

Plumes et pointes

Bien que les plumes métalliques soient utilisées depuis l'époque romaine, les premiers spécimens n'étaient pas très satisfaisants. Aujourd'hui produites par de nombreux fabricants, les bonnes plumes métalliques peuvent donner d'excellents résultats. Et si vous voulez réaliser une calligraphie de qualité, il faut absolument utiliser des plumes de qualité. Les plumes fontaines sont certes faciles à utiliser, mais leur pointe n'est jamais assez fine pour produire des traits aux contrastes évidents et ce sont justement les pleins et les déliés qui confèrent à la calligraphie son élégance et sa beauté. On peut trouver des plumes de divers formats et qualités. Par souci de cohérence, nous avons utilisé les plumes William Mitchell — une des meilleures marques dans le commerce — tout au long de ce livre. Si vous achetez une autre marque, il se peut que ses formats varient. Une grandeur 70 dans une marque peut correspondre à une grandeur 0 dans une autre.

Une plume à calligraphie est faite d'un porte-plume, d'un bec et d'un petit réservoir pour l'encre. Le bec est d'abord bien ajusté dans le porte-plume (fig. 1), et le réservoir est ensuite fixé à l'ensemble (fig. 2).

Après avoir acquis une certaine expérience avec une plume métallique, il est bon d'essayer les plumes d'oie et les calames de manière à élargir vos connaissances et vos habiletés en calligraphie. Si vous ne pouvez pas fabriquer votre propre plume d'oie, vous devriez pouvoir en trouver une dans le commerce. Toutefois, vu la rareté de la demande, il se peut que vous éprouviez de la difficulté à en dénicher une. Si c'est le cas, essayez de contacter une société nationale ou régionale de calligraphie. Ils connaissent peut-être un marchand ou pourront vous référer à un scribe qui en fabriquera pour vous.

Une plume d'oie faite à la main

Pour fabriquer une plume d'oie, on doit se servir de la plume d'un gros oiseau : oie ou autruche, par exemple. On choisira une des cinq premières plumes de vol, parce que ce sont les plus grosses et les plus solides (fig. 3).

Il faut traiter la plume avant de la tailler. Pour cela, il faut d'abord enlever l'extrémité du corps et la faire tremper dans l'eau pendant environ 12 heures, de manière à ce que les cellules prennent de l'expansion.

Enlevez la membrane à l'intérieur du corps avec un petit crochet ou un fil de métal, en prenant bien soin de ne pas égratigner le corps.

Une fois que plus rien n'obstrue le corps, il faut le durcir en le plongeant dans le sable chaud. Chauffez le sable (il doit être aussi fin que possible, comme le sable d'argent dont se servent les potiers) dans un récipient plat et poussez la plume dans le sable de manière à ce que le corps en soit rempli. Si nécessaire, servez-vous d'une cuillère pour introduire le sable dans le corps de la plume, et laissez-la dans le sable pendant à peine quelques secondes avant de l'en retirer et de l'examiner. Le blanc opaque du corps doit être devenu transparent, et si la chaleur n'a provoqué aucune déformation ou cloque sur la plume, vous pouvez passer à l'étape suivante. Si la plume n'est pas restée assez longtemps dans le sable, elle sera trop pliable une fois refroidie. Vous apprendrez probablement à force d'essais et d'erreurs à quel

fig.1 Attacher le bec au porte-plume.

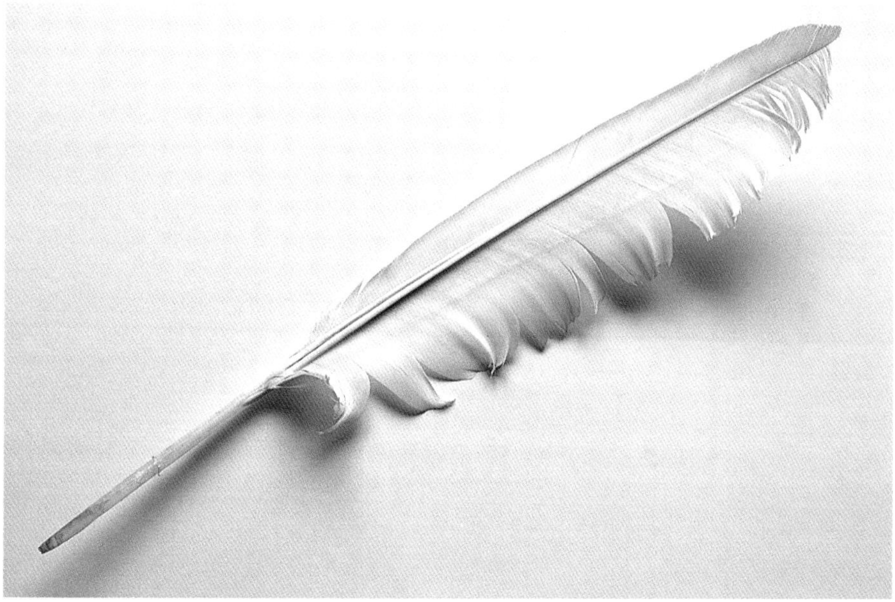

fig.3 Une plume non traitée.

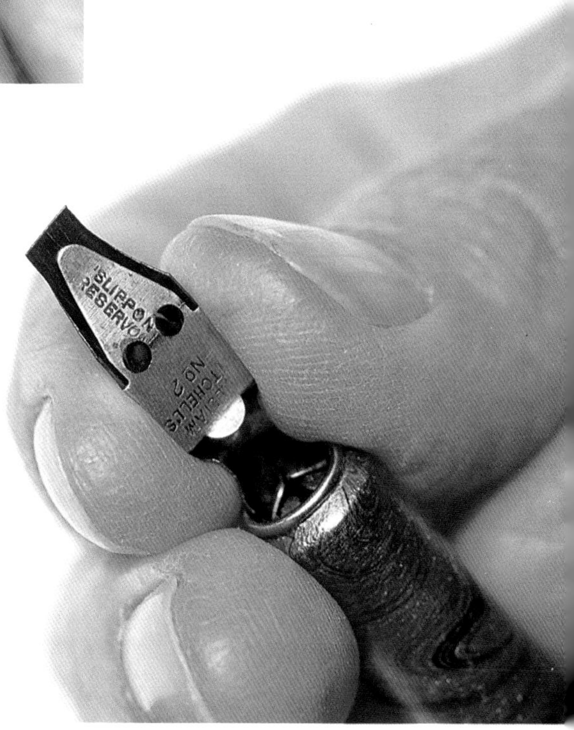

fig.2 Ajuster le réservoir du bec au porte-plume.

moment la plume est assez dure pour écrire, mais pas assez dure pour se casser lors de la coupe.

Remuez bien pour faire sortir le sable. Alors que la plume est encore chaude et légèrement pliable, enlevez la membrane à l'extérieur du corps avec un couteau émoussé pour ne pas risquer de l'égratigner. Trempez-la ensuite dans l'eau froide et faites-la sécher pour la préparer à la coupe (fig. 4).

Raccourcissez la plume pour qu'elle atteigne de 20 à 25 cm de longueur (8 à 10 po), et enlevez les barbules des deux côtés du corps. Si vous préférez garder un peu de barbe, vous pouvez en laisser sur le côté qui ne sera pas en appui sur votre main, quoique vous risquez de trouver cela moins encombrant si vous en enlevez jusqu'à environ 1 cm (1/2 po) de largeur. Toutes les barbules (le plumage autour de l'extrémité de la plume) doivent être enlevées, parce qu'autrement, elles pourraient interférer avec votre main lorsque vous écrivez.

fig.4. Une plume traitée.

Fabriquez votre propre plume

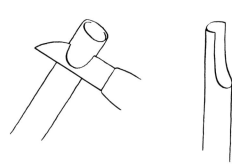

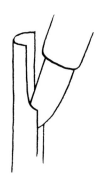

1 Enlevez d'abord l'extrémité du corps, puis traitez tel que décrit précédemment.

2 Avec un couteau très coupant, enlevez l'extrémité du corps en taillant un long angle oblique.

3 Pratiquez une petite entaille sur la longueur de la plume. Allez-y prudemment et ressortez la lame doucement, jusqu'à ce que la plume craque pour former la fente.

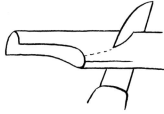

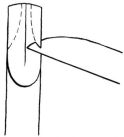

4 La prochaine étape consiste à faire une large entaille à l'extérieur de la face opposée à la fente, de sorte que la fente soit plus ou moins centrée dans la portion restante. Cette entaille est difficile à réaliser, car les plumes sont très dures, et vous devrez probablement recommencer l'opération sur plusieurs plumes avant d'en réussir une.

5 Pratiquez une entaille de chaque côté de la fente pour former le bec. Faites correspondre les deux côtés de manière à ce que la fente soit bien centrée et que la plume soit de la largeur voulue.

6 Pour que le bec soit propre et bien affûté, posez le bout de la plume sur une surface lisse et dure et amincissez le bec d'un autre coup de couteau.

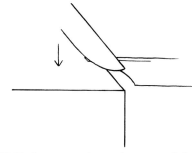

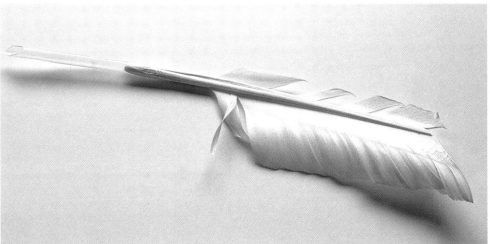

fig.5. La plume d'oie complétée

7 Enfin, pour créer un bout tout à fait droit, retirez une mince portion à l'extrémité du bec, en coupant vers le bas.

La plume doit maintenant être prête (fig. 5), mais trempez-la dans l'encre et essayez de tracer quelques traits pour voir si elle est douce et bien taillée. Le bec de la plume peut être taillé à nouveau s'il n'est pas à votre goût ou une fois qu'il sera émoussé.

Encre

Le type d'encre que vous utilisez est très important, car il est difficile de tracer de belles lettres avec une encre de piètre qualité. Il existe de nombreuses encres embouteillées dans le commerce, allant des liquides clairs et transparents, qui s'écoulent souvent en faisant de grosses taches et risquent de pâlir si elles sont exposées à la lumière du jour pendant de longues périodes, aux encres fortes et noires qui ont la consistance désirée et sont très acceptables. Cela vaut la peine d'expérimenter différents types d'encre pour vous faire une idée de ce qui est disponible et identifier l'encre qui vous convient le mieux.

Encre de Chine

La meilleure est l'encre de Chine, qui ne pâlira pas si vous l'exposez directement au soleil. Bien que vous puissiez vous la procurer en bouteille sous forme liquide, les tablettes d'encre moulues sur ardoise (fig. 6) produisent une encre de la plus haute qualité. La finesse des lettres qui peuvent être produites avec l'encre de Chine sur ardoise est infiniment plus grande que celle qu'une encre embouteillée peut produire.

fig.6 Bâton d'encre
de Chine et ardoise.

fig. 7 Appliquez l'encre sur
la plume avec un pinceau.

Remplissez l'extrémité creuse de l'ardoise avec assez d'eau pour faire la quantité d'encre liquide dont vous croyez avoir besoin. Il faut que l'encre soit moulue le jour même où vous décidez de vous en servir, parce qu'elle épaissit et se dégrade si elle traîne trop longtemps.

Moulez le bloc d'encre en un mouvement d'aller retour sur toute la longueur de l'ardoise jusqu'à ce qu'une belle encre forte et noire se forme. Il vous faudra appliquer une forte pression et vous devrez sans doute moudre le bâton pendant au moins 15 minutes.

Pendant que vous moulez, testez régulièrement la densité de l'encre en traçant de petits traits sur une feuille de papier pour voir si elle est assez foncée en séchant. Quand vous serez satisfait, appliquez-en sur votre plume avec un petit pinceau (fig. 7).

Papiers pour la calligraphie.

Papier

Un papier à dessin de bonne qualité est idéal lorsque vous commencez à pratiquer la calligraphie. Il est utile d'acheter un bloc de grandeur A-2 (596 x 422 mm) dans une boutique de matériel d'artiste, car les lettres que vous tracerez au début seront de grande dimension et il vous faudra écrire sur de grandes feuilles de papier si vous désirez tracer un nombre raisonnable de lignes. Évitez toutefois le papier trop mince, car il se gaufrera au contact de l'encre. Certains papiers sont aussi trop lustrés pour boire l'encre, et vous trouverez alors que votre encre n'est pas assez fine ou qu'elle se dépose sur la surface du papier et prend trop de temps à sécher. Essayez de trouver du papier à dessin d'environ 120 gmc (grammes par mètre carré) ; il devrait avoir une densité et une surface de qualité suffisantes pour tracer vos lettres. (Voir chapitre 8 sur les différents types de papier et pour en savoir un peu plus sur leur fabrication.)

Planches à dessin

Il est nécessaire d'écrire sur une surface inclinée pour que la plume puisse toucher le papier avec l'angle le plus avantageux. Lorsque vous débutez la calligraphie, vous pouvez vous satisfaire d'un plateau — par exemple une pièce d'aggloméré mesurant environ 60 x 90 cm (2 x 3 pi), que vous trouverez chez un quincaillier — appuyée contre une table et reposant sur vos cuisses (fig. 8). Toutefois, à mesure que vous progresserez, vous trouverez plus pratique d'acquérir une petite planche à dessin que vous pourrez ajuster à angle fixe (fig. 9). Vous pouvez acheter de bonnes planches à dessin chez les marchands de matériel d'artiste ; certaines sont même munies d'une règle parallèle qui peut vous épargner de précieuses minutes (fig. 10).

En recouvrant de quelques feuilles de papier buvard la surface de votre planche à dessin, vous y apportez une modification importante qui vous permettra d'écrire sur une surface légèrement souple plutôt que dure. Essayez de trouver de grandes feuilles de papier buvard pour couvrir la surface le mieux possible et fixez-les sur votre planche avec du ruban adhésif (fig. 11).

Il vous faudra ensuite une feuille de garde. Elle doit être aussi longue que votre planche à dessin, car vous devrez déplacer le papier d'un côté à l'autre et à mesure que vous tracerez chaque ligne de texte. Le positionnement de la feuille de garde est important : il faut trouver la position la plus confortable pour écrire sur votre planche tout en veillant à ce que vos yeux soient à la bonne hauteur, tel qu'illustré à la figure 12. Attachez la feuille de garde pour que la ligne d'écriture soit au bon niveau.

Pendant que vous écrivez, assurez-vous que vos mains soient toujours sur la feuille de garde, et non sur le papier sur lequel vous tracez les lettres. Ce conseil est crucial, car même très propres, vos mains laisseront toujours de petites taches de gras sur le papier. Cela peut être désastreux pour votre travail, parce que le papier graisseux absorbe mal l'encre et les lettres écrites sur une tache de graisse seront de piètre qualité.

fig.8 Planche à dessin appuyée sur les cuisses et contre la table.

fig.9 Petite planche à dessin portative.

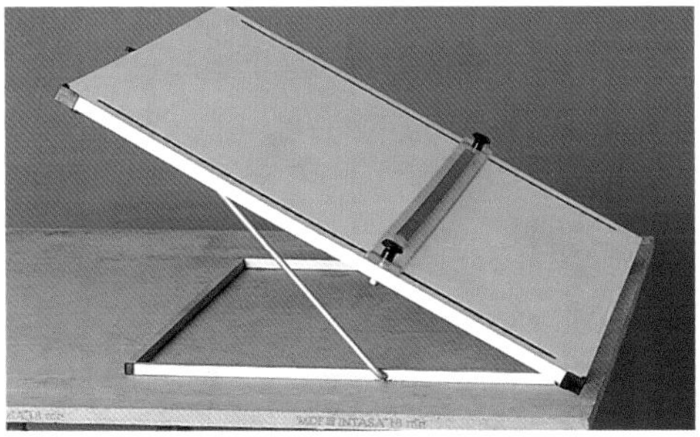

fig.10 Grande planche à dessin avec règle parallèle.

fig.11 Ajoutez du papier buvard sur votre planche.

fig.12 Ajoutez une feuille de garde.

Les styles calligraphiques dans ce livre

Les styles illustrés dans ce manuel du débutant sont adaptés de quelques-uns des exemples historiques dont nous avons parlés précédemment ; nous les avons modifiés pour des raisons de clarté, de cohérence et de facilité de production. Ensemble, ils constituent une gamme intéressante de styles qui conviennent à une grande diversité d'occasions et de besoins particuliers.

Écriture fondamentale 2

Écriture fondamentale

Si vous voulez que votre écriture soit soignée, il faut d'abord choisir un format de plume en fonction du type de lettres que vous désirez tracer. Il est toujours préférable, pour réussir des lettres uniformes et bien alignées, de commencer à écrire entre deux lignes horizontales tracées au crayon. Certaines personnes choisissent de se passer de ces lignes-guides après quelque temps, mais il est beaucoup plus sûr de s'y fier. D'ailleurs, elles se tracent au crayon en un rien de temps et il est très facile de les effacer par la suite.

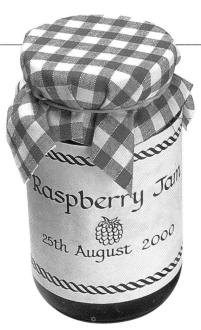

Tracer les lignes-guides sur une page

Les lignes hautes de cinq becs de plume sont correctes pour la plupart des styles de calligraphie. Ainsi, pour commencer, vous devriez vous servir d'une plume à bout carré, comme la William Mitchell 11/2, qui mesure environ 2,5 mm (3/32 po) de largeur. Déterminez la hauteur des lettres en traçant une série de petits carrés (becs de plume) en quinconce avec votre plume (fig. 1), ce

qui vous donnera la bonne mesure. Tracez ensuite des lignes horizontales sur une feuille de papier. Laissez deux fois la hauteur d'une ligne-guide pour chaque interligne, de façon à ce qu'il y ait suffisamment d'espace pour tracer les traits ascendants et descendants (fig. 2).

fig.1 On compte cinq becs de plume (petits carrés en quinconce produits par une plume à bout carré tenue à l'horizontale) pour déterminer la hauteur des lignes d'écriture ou lignes-guides

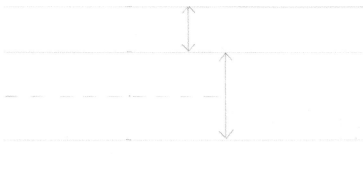

fig.2 Tracer les lignes-guides horizontales sur une page.

Contrôler l'écoulement de l'encre

Avant de vous attaquer à l'alphabet fondamental apparaissant à la figure 3, commencez par vous familiariser avec la plume en dessinant tous les genres de traits qu'elle vous permet de tracer. Le fait de tremper la plume au complet dans l'encre peut s'avérer très salissant et un surplus d'encre peut se loger dans l'espace entre la plume et le réservoir, partie qui amène l'encre jusqu'à la pointe de la plume pour ensuite la transférer sur la page. Remplissez plutôt votre plume à l'aide d'un petit pinceau que vous frotterez sur l'ouverture, entre le réservoir et la plume (Voir fig. 7, page 19.).

Commencez à tracer des lignes diagonales suivant la direction de la plume (fig. 4), de manière à ce que les traits soient aussi larges que le bec. Faites en sorte que l'encre s'écoule librement et uniformément sur toute la largeur du bec, sans laisser aucun espace ou créer des rayures. Si l'encre s'écoule mal de votre plume, il se peut que le réservoir soit trop serré contre le bec et bloque le flux du liquide. La façon dont sont faits les réservoirs peut varier et il arrive que certains soient trop serrés. Si vous croyez que c'est le problème, pliez légèrement le bout du réservoir

vers l'arrière. On peut aussi ajuster les ailes latérales vers l'extérieur si le réservoir est trop ou pas assez serré.

Si l'encre ne coule pas bien, c'est peut-être aussi parce que le bout du réservoir est trop éloigné du bec de la plume. Enfin, il se peut que vous ayez appliqué trop peu d'encre sur la plume, de sorte qu'elle ne se rende pas jusqu'au bec. Si vous rencontrez le problème inverse — trop d'encre s'écoulant de votre plume — vous devrez soit ajuster le réservoir pour qu'il y ait moins d'espace entre le réservoir et le bec, soit déplacer légèrement le bout du réservoir pour l'éloigner davantage de l'extrémité de la plume.

fig.4 Traits de pratique diagonaux.

fig.3 L'alphabet fondamental.

a b c d e f g h i

j k l m n o p q r

s t u v w x y z

Expérimenter les traits

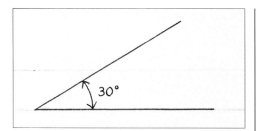

1 Vous devez tenir votre plume à un angle d'environ 30 degrés du papier.

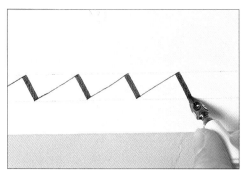

2 Si l'encre s'écoule doucement de la plume et que vos lignes diagonales sont uniformes, sans bord dentelé, essayez de tracer un zigzag. Vous tracez maintenant les lignes les plus épaisses et les plus minces que votre plume peut produire, et elle doit se déplacer de biais pour tracer les traits fins et en ligne droite pour les traits épais. Notez que si vous maintenez un angle de 30 degrés, les traits fins seront toujours plus longs que les traits épais.

3 Essayez ensuite de faire des traits diagonaux dans l'autre sens, ce qui est un peu plus difficile à réaliser. Essayez de garder le même angle et la même largeur de traits que ceux de l'illustration, ceux-ci étant tracés avec une plume dans le bon angle.

4 En gardant la plume à 30 degrés, tracez ces traits avec soin, puis exercez-vous à faire des croix, en veillant à ce que les deux côtés de chaque croix soient bien équilibrés.

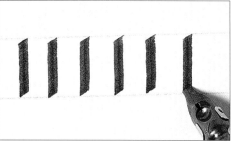

5 Essayez maintenant de tracer quelques lignes verticales, en prenant bien soin de garder les traits aussi droits que possible. Si un côté est dentelé et l'autre est lisse, c'est probablement parce que vous mettez trop de pression d'un côté. Ajustez votre prise et appliquez un peu moins de pression du côté lisse et un peu plus du côté dentelé, ce qui devrait régler le problème.

6 Exercez-vous ensuite à tracer des lignes horizontales. Elles sont un peu plus difficiles à tracer que les verticales, car la moindre erreur sera plus visible. Mais ces erreurs initiales s'estomperont au fur et à mesure que vous prendrez de l'expérience.

7 Les courbes peuvent donner du fil à retordre aux calligraphes novices. Commencez par tracer une série de cercles composés de deux traits, tel qu'illustré, en essayant de les garder aussi ronds et réguliers que possible.

8 Tracez d'abord des lignes au crayon que vous pourrez suivre ensuite avec votre plume, de manière à vous habituer au mouvement. Veillez à ce que la plume ne dépasse pas la ligne de crayon.

9 Essayez ensuite des traits suivant une combinaison de lignes droites et courbes.

Écriture fondamentale

1 Quand vous serez prêt, commencez à tracer l'alphabet illustré ici avec le ductus, ou direction des traits. Il s'agit d'une écriture simple appelée fondamentale — ou ronde —, parce que ses lettres servent de base à la plupart des autres styles et épousent toutes la forme ronde du « o ». Le « o » détermine la largeur des autres lettres.

2 Le « n » est exactement de la même largeur que le « o », comme toutes les autres lettres, exceptés le « i » et le « l » (qui sont plus étroites, parce qu'elles sont formées d'un seul trait) et le « m » et le « w » (qui sont des versions doubles du « n » et du « v », et donc deux fois plus larges).

3 Le « z » est la seule lettre pour laquelle votre plume devra tracer un trait suivant un angle différent. Pour faire le trait central du « z », tenez votre plume horizontalement. Cela produit un trait plus épais et la lettre paraît mieux que si elle était écrite d'un bout à l'autre avec la plume tenue à angle régulier. Exercez-vous à tracer toutes les lettres en suivant les directions indiquées par le ductus, puis continuez à pratiquer celles que vous ne maîtrisez pas bien.

Espacement correct

Quand vous commencerez à écrire des mots, vous devrez penser à l'interlettrage ou à l'espace entre les lettres. Il faut un certain temps pour maîtriser l'interlettrage, mais vous finirez par évaluer automatiquement sa valeur.

Il faut d'abord que l'ensemble des lettres soit équilibré et qu'aucune lettre ne soit écrasée ou trop éloignée du reste du mot. Dans la figure 5, les lettres ne sont pas uniformément espacées et sont trop éloignées ; l'interlettrage s'agrandit graduellement et les lettres ne semblent pas appartenir au même mot. La figure 6 montre des lettres beaucoup trop rapprochées, ce qui donne une apparence étriquée et rend le texte difficile à lire. Dans la figure 7, les lettres sont bien espacées, la distance entre elles est aussi uniforme que possible.

Il faut s'habituer à voir les lettres par groupe de trois et s'assurer que celle du milieu a toujours l'air d'être exactement au centre et non plus près de sa voisine de gauche ou de sa voisine de droite. Dans la figure 8, les deux premiers groupes de trois lettres ne sont pas espacés uniformément. L'exemple du bas est correct.

Les mots construits avec des caractères similaires, par exemple ceux qui sont faits uniquement de lettres rondes, comme le mot « code » (fig. 9), ou uniquement de lettres droites, comme le

fig.5 L'espace entre les lettres de ce mot est trop important.

fig.6 Cette fois-ci, les lettres sont trop rapprochées les unes des autres.

fig.8 Les deux premiers groupes de trois lettres ne sont pas espacés uniformément ; l'exemple du bas est correct.

fig.7 L'interlettrage de ce mot est bon.

mot « lilt » (fig. 10), sont beaucoup plus faciles à espacer que ceux qui sont faits d'un mélange des deux. Les mots qui combinent lettres rondes et lettres droites, comme « millipede » (fig. 11), sont plus difficiles à équilibrer ; les lettres sont largement espacées au début et plus rapprochées à la fin.

Essayez de prendre l'habitude de penser aux interlettrages et arrangez-vous pour qu'ils soient toujours égaux. Deux lettres droites côte à côte laissent beaucoup moins d'espace entre elles que deux lettres rondes (fig. 12), alors on les écarte un peu plus pour donner l'impression que l'espace est le même. Avec les lettres moins régulières, comme les « s », « f », « v » et « t », qui ont au moins un côté de ni complètement droit, ni complètement recourbé, vous devrez évaluer la quantité d'espace nécessaire pour obtenir le même effet que si les lettres avaient des formes plus régulières.

L'espacement entre les mots devrait être environ de la largeur d'une lettre (fig. 13). Si vous laissez trop d'espace entre les mots, votre page d'écriture laissera voir trop de vides, ou ce que l'on appelle des « rivières » ; c'est-à-dire que les espaces entre les mots coïncideront entre eux d'une ligne à l'autre, formant de grands vides sur la page. Au contraire, si vous laissez trop peu d'espace entre les mots, ils auront parfois l'air d'être attachés ensemble.

Exercez-vous à tracer toutes sortes d'ensembles de lettres en portant une attention particulière à toute lettre qui vous donne du fil à retordre ou aux traits que vous trouvez plus difficile à

fig.9 Les caractères d'un mot comportant surtout des lettres rondes se toucheront presque.

fig.10 Les caractères d'un mot comportant surtout des lettres droites seront bien espacés entre eux.

fig.11 Une combinaison de lettres rondes et de lettres droites exige des espacements adéquats pour avoir belle apparence.

fig.12 Les traits ronds sont toujours beaucoup plus rapprochés que les traits droits.

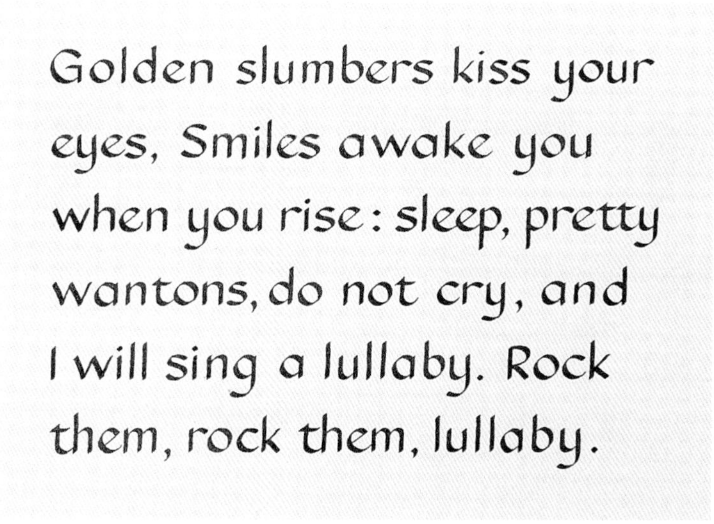

Golden slumbers kiss your eyes, Smiles awake you when you rise : sleep, pretty wantons, do not cry, and I will sing a lullaby. Rock them, rock them, lullaby.

fig.13 Un espacement de la largeur d'une lettre est laissé entre chaque mot.

réaliser. Il est recommandé de prendre le temps qu'il faut pour acquérir la maîtrise des premières étapes de la calligraphie, plutôt que de vous attaquer avec précipitation aux styles plus complexes avant d'être fin prêt.

La figure 14 illustre les capitales, ou majuscules, de l'écriture fondamentale. La hauteur des capitales est de sept fois la largeur d'un bec de plume (fig. 15), alors préparez une page spécialement lignée. Après les avoir écrites dans l'ordre alphabétique, exercez-vous à tracer des groupes de lettres de formes similaires, comme les lettres rondes « C », « D », « G », « O » et « Q », et passez ensuite aux lettres faites uniquement de traits verticaux et horizontaux, comme « T », « K », « V », « W », « X » et « Y ». En variant ainsi l'ordre des lettres, vous comprendrez mieux la relation existant entre une lettre et les autres lettres de l'alphabet.

Tracez maintenant ensemble des lettres majuscules et minuscules (fig. 16). Bien que vous puissiez faire cet exercice en vous fiant aux lignes-guides de cinq et de sept largeurs de bec, assurez-vous que la hauteur des capitales est correcte en utilisant uniquement les lignes-guides des minuscules, et jugez de la hauteur des capitales à l'œil.

Pour écrire une suite de mots respectant les règles grammaticales, vous devrez y insérer des signes de ponctuation (fig. 17) et des nombres (fig. 18). Bien que les parenthèses, points d'exclamation et points d'interrogation soient tracés à la hauteur des capitales, les deux-points et le point-virgule paraissent mieux lorsque leurs marques supérieures sont tracées juste au-dessous de la ligne-guide des lettres minuscules. La figure 19 illustre l'esperluette.

fig.14 Capitales de l'écriture fondamentale et ductus (ordre et direction des traits)

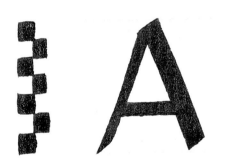

fig.15 La hauteur des capitales fait sept fois la largeur du bec de la plume.

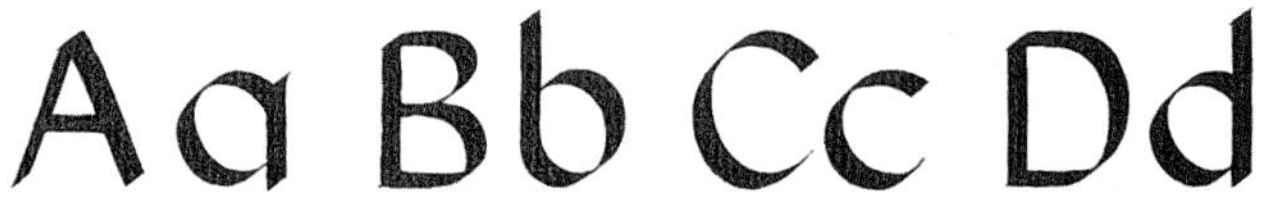

fig.16 Exercez-vous à tracer majuscules et minuscules côte à côte.

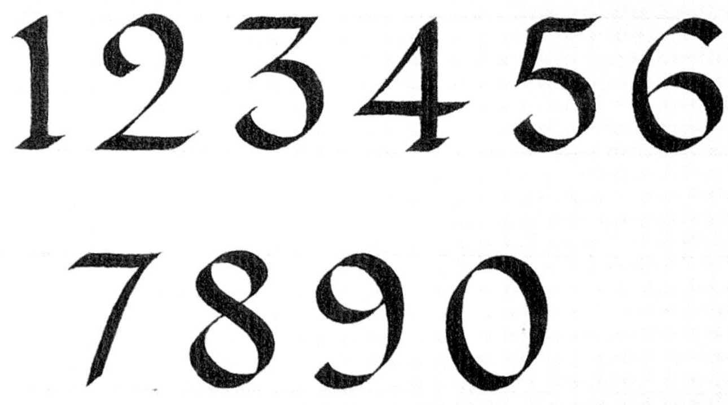

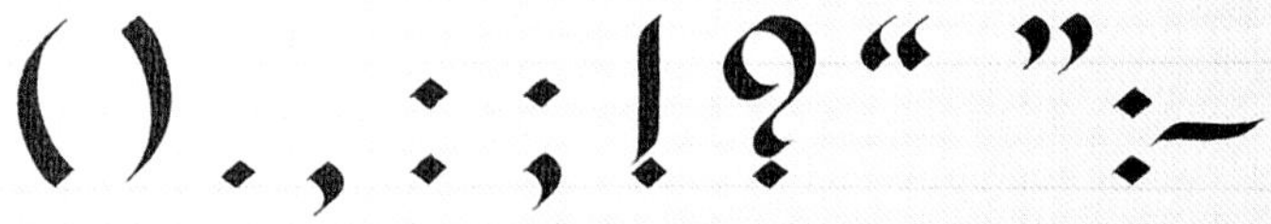

fig 18 Signes de ponctuation.

fig.17 Nombres

fig 19 L'esperluette

Ajout d'empattements

Les caractères simples de l'écriture fondamentale sont améliorés et ornés de petits traits connus sous le nom d'empattements. Les divers types d'empattements sont construits tel qu'illustré à la figure 20. Tout l'alphabet empatté est illustré à la figure 21 et les capitales empattées, à la figure 22.

Les empattements au haut des traits ascendants et au début de la plupart des capitales commencent par un trait fin tracé de droite à gauche qui se poursuit en s'incurvant à nouveau vers la droite. Tracez maintenant le trait droit de manière à ce qu'il s'aligne avec le trait incurvé. Ne faites pas les deux premiers traits trop longs, car vous laisseriez un petit espace au centre des trois traits et l'empattement serait trop grand. Ces deux traits doivent avoir seulement un bec de plume de largeur pour produire l'empattement de la bonne dimension.

Les empattements de pied des « f », « p » et « q », de même que nombre de pied des lettres capitales, sont réalisés en ramenant la plume vers la gauche, juste à côté de l'endroit où la lettre se terminera, et en faisant un trait horizontal vers la droite, sans laisser d'espace. Les autres empattements sont moins compliqués, car ce sont simplement de légères courbes au début ou à la fin d'un trait.

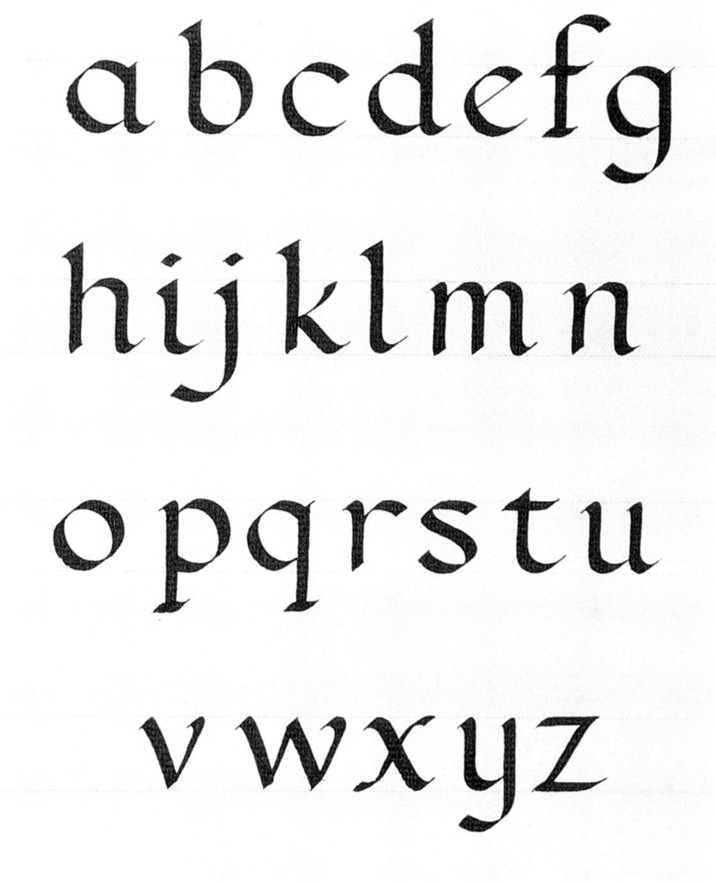

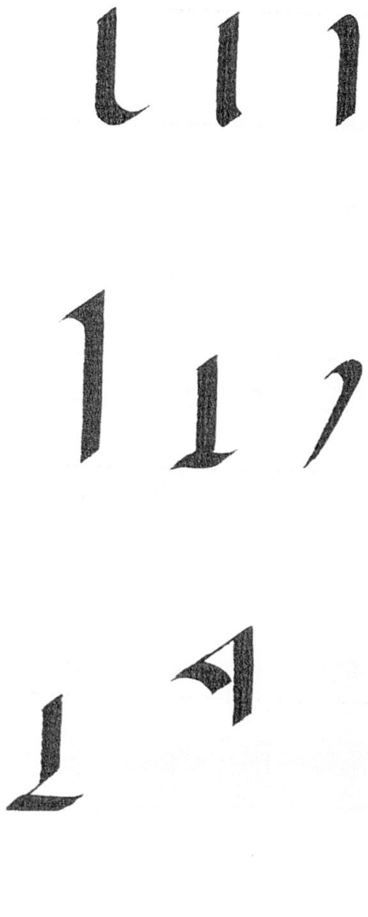

fig.21 L'alphabet de l'écriture fondamentale avec empattements.

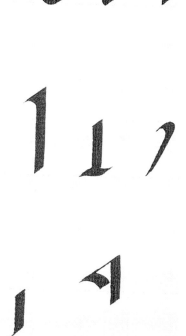

fig.20

Types d'empattements : les trois premiers exemples sont de simples courbes complétant quelques-uns des traits verticaux ; les deux suivants se composent de deux traits — un trait étroit vers la gauche et ensuite un large trait complétant l'empattement ; le dernier exemple montre un trait diagonal terminé par une légère courbe.

fig.22 Capitales à empattements de l'écriture fondamentale.

Le «m» est un bon exemple de lettre exigeant différents empattements pour avoir l'air équilibré. Le premier empattement au début du premier trait vertical est une plus petite courbe que celles qui terminent les deux autres traits. Au bas du premier et du deuxième traits verticaux, se trouvent de petits empattements orientés légèrement vers la droite. Le dernier empattement peut être un peu plus prononcé. Si on utilisait des empattements plus larges sur les deux premiers traits, ils rempliraient trop d'espace entre les traits verticaux et gâcheraient la lisibilité de la lettre.

On peut donner une toute petite courbure à l'une ou l'autre des extrémités des traits croisés du «f», du «t» et du «z» pour y ajouter de la souplesse et faire oublier l'apparence dure du trait sans empattement.

Il n'est pas nécessaire — c'est même parfois une erreur — d'essayer d'orner les lettres avec trop d'empattements. Les empattements devraient être de simples ornements qui confèrent une plus jolie apparence au texte sans nuire à sa clarté et à sa lisibilité. Les empattements exagérés peuvent vraiment gâcher l'apparence des lettres (fig. 23) et les rendre difficile à lire. Dans ce sens, la lettre «r» est la plus maltraitée de toutes et quand vous la tracerez, essayez de ne pas donner au trait descendant plus qu'une légère courbure, sinon elle ressemblera à un «c» mal formé (fig. 24).

Lorsque vous passerez d'une dimension de lettres à une autre, pensez à tracer vos lignes-guides pour qu'elles fassent cinq becs de plume. À cette étape-ci, évitez les formats de plume moindres que la William Mitchell no 3, qui fait environ 1,25 mm (3/32 po) de largeur, parce que les lettres plus petites sont plus difficiles à réussir. Bien que cela puisse cacher des erreurs, il est préférable d'apprendre à former les lettres correctement dès le début. La figure 25 illustre les lignes-guides pour les lettres tracées avec des plumes Mitchell no 3 et no 2.

fig.23 Le pied du « r » est souvent trop recourbé. Le « r » de gauche est correctement tracé.

fig.24 Ici, le mot tracé correctement est celui du dessus.

fig.25 Lignes-guides pour les plumes de grosseur 2 et 3.

Motifs à la plume

Les coups de plume ne sont pas seulement agréables à réaliser, ils peuvent se révéler très utiles pour embellir les petits projets de calligraphie. Les jolies arabesques que vous pouvez réaliser se comptent en nombre infini et la figure 26 en montre une sélection. Exercez-vous à les reproduire.

fig. 26 Motifs à la plume.

Fabriquer des étiquettes

De façon à vous exercer et à mettre en pratique ce que vous avez appris jusqu'ici, vous pouvez vous servir de l'écriture fondamentale pour fabriquer des étiquettes pour vos produits maison.

Raspberry

1 Sur le papier de votre choix, écrivez en gros caractères les principaux mots qui apparaîtront sur votre étiquette. Laissez beaucoup d'espace autour des mots de manière à pouvoir tailler l'étiquette.

25th August

2 Écrivez les informations secondaires en plus petits caractères sur une feuille brouillon séparée. Mesurez l'espace qu'occupe le texte et transcrivez ces dimensions sur l'étiquette, sous la première ligne.

Raspberry Jam

3 Tracez les lignes-guides des caractères plus petits et marquez la largeur de manière à pouvoir centrer le texte secondaire sous le texte principal.

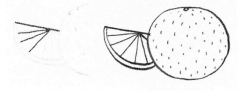

4 Inscrivez l'information secondaire dans l'espace réservé en veillant à bien la centrer sous la première ligne.

5 Dessinez un motif à la plume autour de la bordure pour embellir l'étiquette.

6 Vous pouvez aussi ajouter un joli dessin à la plume pour décorer l'étiquette.

7 Les petits dessins à la plume sont très faciles à faire : faites d'abord le croquis de votre sujet au crayon, puis exercez-vous à tracer les lignes suivant la direction des traits obligée (ductus) pour réaliser une image bien nette. Quand vous aurez trouvé la meilleure manière de créer votre image, répétez le processus sur l'étiquette.

8 Avec un peu d'application, n'importe quelle forme de fruits peut être tracée à la plume.

Comme variante à l'étiquette horizontale, vous pouvez suivre les mêmes principes de base pour réaliser une étiquette verticale ou de format portrait, tel qu'illustré ici.

Écriture fondamentale condensée 3

Écriture fondamentale condensée

L'alphabet de l'écriture fondamentale prend beaucoup

d'espace parce que toutes les lettres sont assez larges.

On crée des lettres de dimension plus pratique en

condensant tout l'alphabet de manière à ce que chaque

lettre suive une forme ovale plutôt que ronde.

Dans l'alphabet fondamental condensé (fig. 1), les traits formant chaque lettre sont réalisés exactement de la même manière que ceux de l'alphabet fondamental ordinaire et l'angle de la plume reste le même, mais la largeur des lettres est réduite de façon à ce qu'elles épousent la forme ovale du zéro « 0 » (fig. 2). Le « e », dont le second trait va s'arrondissant, est la seule exception.

Quelques-unes des lettres ont des variantes (fig. 3), ce qui peut leur conférer plus de caractère. Le « a » et le « g » sont des lettres de base qui étaient utilisées au bas moyen âge pour apporter quelques variations dans certaines combinaisons de lettres trop similaires, rendre l'écriture plus intéressante ou en faciliter la lecture. Prenez par exemple le mot « glade ». Dans la figure 4, il est écrit en écriture fondamentale condensée régulière. La figure 5 montre le même mot réalisé avec d'autres choix de lettres, ce qui lui apporte quelques variantes.

fig.1. Minuscules de l'écriture fondamentale condensée.

fig.2. L'ovale du zéro « 0 » et le rond du « O » illustrent la condensation.

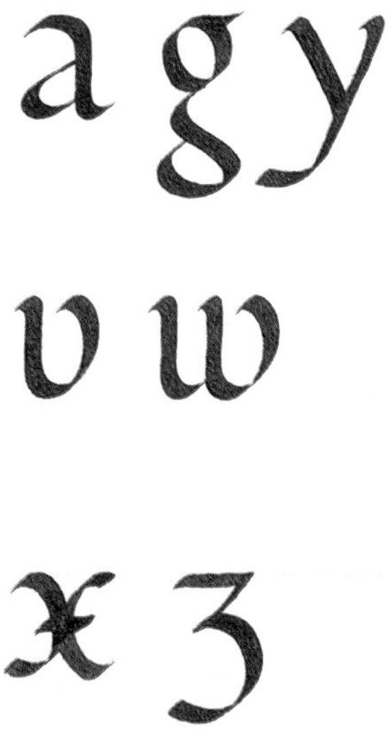

fig.3. Différentes versions de certaines lettres minuscules.

fig.4. Un mot tracé en écriture fondamentale régulière.

fig.5. Le même mot écrit avec différentes versions de minuscules.

Les versions incurvées du « v » et du « w » sont aussi utiles. La version du « z » peut sembler assez inusitée, mais elle élimine la nécessité d'employer un angle de plume différent de celui dont on se sert pour toutes les autres lettres. Certaines personnes préfèrent le « y » avec trait diagonal à l'autre version. Le « x » incurvé convient mieux à certains travaux que la version construite avec la diagonale. De toute manière, c'est vous, au bout du compte, qui ferez le choix des lettres dont vous vous servirez dans telle ou telle autre circonstance.

Empattements de l'écriture fondamentale condensée

Les empattements de ces lettres sont les mêmes que dans l'alphabet fondamental, mais parce que l'interlettrage est plus petit, il est encore plus important de ne pas les exagérer. Les lettres avec un trait final incurvé peuvent facilement être reliées ensemble. Si deux traits croisés arrivent côte à côte, on peut les relier tel qu'illustré par la figure 6.

Deux types d'empattements peuvent embellir les capitales de l'écriture fondamentale condensée. Le premier ensemble de lettres (fig. 7) a les mêmes empattements (en forme de coin) que ceux utilisés dans la version normale, non-condensée, de l'écriture fondamentale (voir chapitre 1). Le second ensemble de lettres (fig. 8) est fait d'empattements droits, ou de drapeaux. Ceux-ci donnent une impression plus forte et plus nette aux lettres et sont utiles dans les en-têtes, qui doivent être clairs et nets. Les en-têtes écrits avec des lettres à empattements en forme de coin ont un peu plus de style (fig. 9).

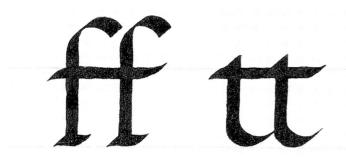

fig.6. Deux traits croisés côte à côte peuvent être reliés ensemble.

fig.7. Capitales de l'écriture fondamentale condensée avec empattements en forme de coin.

fig.8. Des empattents droits ont été ajoutés aux capitales de cet alphabet de l'écriture fondamentale condensée.

Travailler avec différents formats de lettres

Nous allons maintenant nous concentrer sur l'utilisation de différents formats de caractères, parce qu'il est important de savoir les combiner avec précaution. Tel que décrit dans le chapitre 1, les lettres fondamentales doivent faire cinq becs de plume. Le tableau ci-contre (fig. 10) illustre la largeur de presque toutes les plumes William Mitchell. Lorsque vous réduisez le format de la plume, un plus haut degré de précision est requis au moment de tracer les lignes-guides. Alors qu'une petite inexactitude sera de peu d'importance lorsque les lignes-guides sont distancées de 13 mm (1/2 po), les lignes pour une plume de taille 6, distancées d'à peine 2,5 mm (1/8 po), doivent être tirées avec la plus grande précision. Une minuscule inexactitude d'un quart de millimètre fera une grosse différence dans l'écriture, et un texte de trois ou quatre lignes pourrait apparaître très inégal (fig. 11). Certaines des plus petites plumes ne sont pas fabriquées avec précision et il y a si peu de différence entre les plumes de format 5, 5 1/2 et 6, que vous observerez souvent qu'une plume marquée 6 peut être plus large qu'une plume marquée 5. De manière à éviter toute erreur, il est toujours préférable de tracer quelques traits et d'écrire quelques mots avec la plume que vous avez l'intention d'utiliser, puis de vérifier la distance entre les lignes-guides avant de commencer.

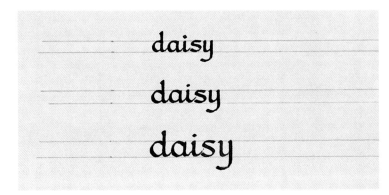

fig.9. Un en-tête écrit avec des empattements en forme de coin, et avec des empattements droits illustre le caractère différent que chaque style donne à un texte.

fig.11. Les lignes-guides pour plumes de petit format doivent être tirées avec une grande exactitude, car les petites divergences peuvent produire une grosse différence dans la taille des lettres, tel qu'illustré ici.

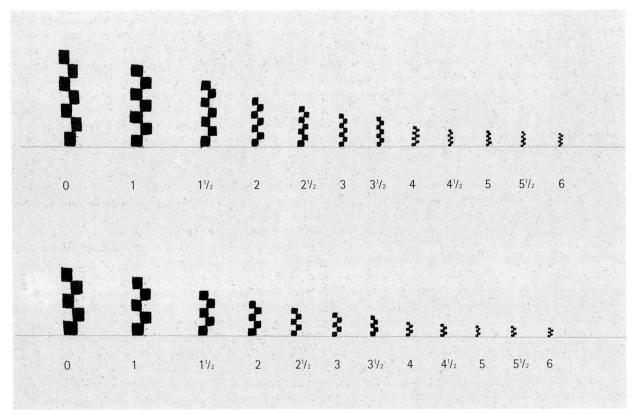

fig.10. Un tableau montrant les différentes largeurs de bec obtenues avec les plumes William Mitchell, des formats 0 à 6.

Fabriquer un ex-libris

Lorsque vous dessinez un ex-libris, rappelez-vous que le texte sera plus attrayant si vous utilisez différents formats de caractères.

Choisissez une combinaison de plumes de tailles différentes, par exemple une plume no 1 1/2 et une plume no 3 (étape 1). Essayez aussi les grandeurs 3 et 4 (étape 2). Si vous vous servez de formats qui se suivent sur l'échelle de la grandeur, la différence ne sera pas toujours assez importante pour qu'on la remarque (étape 3). Si vous vous servez des plus petits formats, on pourra avoir l'impression que les caractères du texte manquent d'exactitude. Pour notre projet d'ex-libris, le nom sera tracé avec une plume de format no 2 (étape 4). « Ce livre appartient à » sera écrit avec une plume no 3 et nous utiliserons une plume no 5 pour écrire l'adresse.

Exercez-vous maintenant à organiser les mots de manière à donner la meilleure apparence possible à l'ensemble (étape 5). La meilleure façon d'y arriver est d'écrire tous les mots suivant la grosseur de leurs caractères, puis de les couper et de les coller sur une feuille de papier dans l'ordre que vous voulez leur donner. Tous les mots de cet ex-libris seront centrés, alors tracez d'abord une ligne verticale au centre de la feuille qui sert d'épreuve. Ensuite, prenez les mesures de chaque mot et positionnez-les au centre de cette ligne.

Étape 1. Exercice avec des plumes de formats 1 1/2 et 3.

Étape 2. Exercice avec des plumes de formats 3 et 4.

Étape 3. Les formats trop rapprochés offrent trop peu de différence.

Étape 4. Choisir les formats.

Étape 5. Organiser les mots de manière à donner à l'ex-libris la meilleure apparence possible.

Fabriquer un ex-libris (suite)

En examinant l'épreuve (étape 5), vous verrez si la combinaison des formats de caractères que vous avez choisis donne bonne impression. Si vous n'en êtes pas convaincu, essayez d'écrire quelques mots d'une grosseur différente et regardez si l'équilibre des mots et les espacements entre les lignes paraissent mieux. Essayez différentes combinaisons de grosseurs de caractères et de distances entre les lignes jusqu'à ce que vous trouviez ce qui vous semble parfait. Il vaut la peine d'essayer plusieurs formats de caractères. Vous serez étonné de voir que même si vous trouviez que les formats avec lesquels vous avez commencé faisaient très bien l'affaire, un changement minime peut produire un bien meilleur effet.

Pour des projets comme celui-ci, inutile de respecter un interligne équivalant à deux fois la hauteur des lettres, qui n'est obligé que dans les blocs de caractères droits non constitués de plusieurs petits ensembles de mots de différents formats. La taille de l'ex-libris peut soit être déterminée par les formats des caractères, soit prédéterminée et alors, vous devez ajuster la taille des caractères en conséquence. L'ex-libris sur lequel nous travaillons mesure 16 x 12 cm (6,3 x 4,7 po), la composition centrée et les formats de lettres illustrés à l'étape 6 conviendront donc parfaitement.

L'ex-libris peut être agrémenté de quelques arabesques, dont vous devriez faire le croquis avant de les ajouter à votre brouillon, pour vous assurer que tout s'intègre bien. L'épreuve finale est illustrée à l'étape 7.

Choisissez un papier qui convient à un ex-libris et tracez soigneusement les lignes-guides avec le maximum de précision. Un crayon HB ou F bien affûté est parfait pour ce travail, car les lignes pourront s'effacer facilement une fois le texte écrit. N'appuyez pas trop, car vous pourriez laisser des marques sur la feuille, même après avoir effacé les lignes.

Étape 6. Le texte complet dans les formats de caractères choisies.

Étape 7. Une bordure est ajoutée pour compléter le brouillon.

Étape 8. Écrivez le texte de haut en bas.

Mesurez et marquez la largeur de chaque mot sur le papier de manière à voir exactement où vous devez commencer et finir chaque ligne de caractères. Faites d'autres marques au crayon pour vous aider à placer les motifs du contour correctement.

Écrivez le texte du haut vers le bas, de sorte que votre main ne repasse jamais sur les lettres humides (étape 8). Toutefois, si vous fabriquez un document plus grand comprenant des caractères de même format en différents endroits sur la page, vous sauverez du temps en écrivant tous les mots de la même grosseur au même moment ; assurez-vous que l'encre est complètement sèche avant d'écrire du texte au-dessus des mots déjà tracés. On peut se montrer négligent et oublier les zones où l'encre est encore humide lorsqu'on est prêt à tracer un autre format de caractères. Les empattements et les endroits où convergent de nombreux traits peuvent retenir une grande quantité d'encre et exiger beaucoup plus de temps de séchage que le reste du texte.

Quand vous écrivez entre des marques, rappelez-vous que vos caractères seront légèrement différents jour après jour, et qu'une phrase qui s'étend sur 10 cm (4 po) un jour, pourra prendre plus ou moins d'espace un autre jour selon que votre main sera plus crispée ou plus détendue et suivant votre humeur. En général, vous vous apercevrez aussi que les premières lignes que vous tracerez seront plus étriquées que celles que vous ferez lorsque vous serez plus détendu et donc capable d'écrire avec plus de facilité et de naturel. Il est bon, toutefois, de vous faire la main avec quelques exercices avant de travailler sur un texte à espacement minutieux.

En examinant votre brouillon, vous verrez exactement où chaque ligne de caractères doit commencer et finir et avec un peu d'attention, vous pourrez faire en sorte que les mots tombent correctement en place. Vous pourriez être tenté de tracer tous les mots au crayon pour ensuite repasser dessus avec la plume, mais ce n'est pas une bonne idée, car vous pourriez essayer de suivre les marques tracées au crayon plutôt que d'essayer de former les caractères de votre mieux. Tracer les mots au crayon peut parfois s'avérer très utile pour vous assurer que les mots s'intègrent bien — surtout pour les titres, lorsque vous travaillez sur un document important — mais si vous prenez cette habitude, votre style d'écriture deviendra trop rigide et manquera de spontanéité. Si vous avez de la difficulté à faire entrer les mots dans les espaces donnés, il serait plus profitable de placer le texte brouillon ligne après ligne au-dessus de l'endroit où vous vous apprêtez à écrire. Si vous avez utilisé du ruban adhésif pour garder les lignes en place, cela ne devrait pas marquer le papier et devrait être facile à enlever. Tracez les mots tout en veillant à garder à peu près les mêmes espacements que sur le brouillon.

This Book
belongs to
SARAH ANN
EAMES

21 Collett Farm Road
Oakenshaw
Durham

Ex-libris avec caractères arrondis

Le premier modèle d'ex-libris sur lequel nous avons travaillé comportait un motif centré très simple. Toutefois, si vous désirez créer quelque chose de légèrement différent, essayez de travailler des variantes pour voir si vous pouvez trouver une composition plus intéressante.

1 Voici une série de croquis suggérés pour un autre ex-libris, mais en format paysage plutôt que portrait (plus large que haut). Le motif comprendra une maisonnette dessinée au trait. Si nécessaire, vous pourrez la tracer à partir d'une photographie. Le motif choisi (f) comporte des caractères arrondis assez faciles à tracer.

2 Servez-vous d'un compas pour tracer les lignes d'écriture. À condition que la courbe ne soit pas trop prononcée, vous ne devriez pas avoir de difficulté à la suivre avec un style de caractères aussi simple que celui-ci.

3 Exercez-vous à tracer une écriture arrondie. Si la courbe est très prononcée, il faudra que les lettres soient légèrement plus resserrées à la base. Pour un projet comme celui-ci, toutefois, l'arrondi des lettres devrait être assez léger pour qu'elles ne soient pas trop déformées.

4 Vous devrez probablement élargir la ligne de mesure centrale sur votre brouillon de manière à centrer la courbe et obtenir le degré d'arrondi qu'exigent les caractères. Quand viendra le temps d'écrire le texte, si votre feuille n'est pas assez grande pour y placer la pointe du compas, collez-la sur une feuille de plus grand format et transférez-y les lignes-guides. Vous pourrez ainsi placer la pointe du compas sur la grande feuille et tracer vos lignes-guides avec précision. L'avantage

additionnel est qu'aucun trou ne restera marqué sur votre ex-libris. Nous illustrons aussi un modèle de cercle complet avec motifs de remplissage dessinés de chaque côté des mots pour combler les espaces vides. La ligne d'écriture centrale de ce motif est très arrondie, de sorte qu'il a fallu tracer les lettres capitales avec beaucoup de minutie pour qu'elles s'insèrent entre les lignes-guides correctement. L'effet d'ensemble est toutefois satisfaisant et le design est bon.

Fabriquer des signets

Les signets offrent une autre façon simple de se servir de la calligraphie. Ils sont assez faciles à fabriquer. Les lignes-guides doivent être placées avec précision pour obtenir différentes grosseurs de caractères

Signet horizontal simple

1 Les petits caractères tracés sur les contours extérieurs du motif sont très près des bords du carton. Comme il peut être difficile d'écrire près des bords de petits morceaux de carton — ils ont tendance à bouger et ne restent pas toujours bien à plat — écrivez cet ensemble de lettres sur un plus grand morceau de carton sur lequel vous aurez marqué les contours extérieurs du signet, puis coupez le carton aux dimensions voulues quand le texte sera terminé.

2 Voici le signet terminé.

Voici un signet vertical simple avec bordures de motifs à la plume.

Signet avec écriture arrondie entre lignes parallèles.

1 Ici l'écriture arrondie est tracée entre des lignes-guides qui ont été mesurées minutieusement. Tracez la première ligne en lui donnant la forme que vous voulez.

2 Mesurez ensuite la hauteur de l'autre ligne à petits intervalles réguliers, sur toute la longueur. Raccordez ces points pour tracer un arrondi aussi léger que possible, à correcte distance du premier.

3 Ajoutez des arabesques aux traits ascendants et descendants pour combler l'espace restant.

Signet avec lignes non parallèles

1 Ce signet est réalisé à partir de lignes-guides non parallèles, ce qui donne un tout autre effet. Vous devrez prendre le temps de préparer le brouillon et tracer des lignes qui courent avec souplesse pour obtenir un espacement agréable entre les mots.

2 Tracez les lignes-guides et transférez-les sur le carton.

Signet fait avec liquide masquant

2 Écrivez les lettres avec du liquide masquant en vous servant d'une plume de grand format et passez sur les endroits trop minces avec un petit pinceau.

1 Design d'un signet fait avec un liquide masquant. Utilisez-le avec une plume, exactement comme si c'était de l'encre ordinaire – il coule très bien et peut faire de belles lettres. Il est cependant préférable d'éviter les petits formats de plume, car les lettres pourraient manquer de précision.

3 Tracez d'abord les lettres et ensuite ajoutez les arabesques.

3 Avec un gros pinceau, appliquez une couche de gouache liquide par-dessus les lettres.

4 Quand la peinture est complètement sèche, enlevez le liquide masquant avec une gomme à effacer.

Se servir d'un tire-ligne

En calligraphie, tire-lignes et compas sont utiles dans bien des cas et on peut les utiliser pour créer certaines décorations.

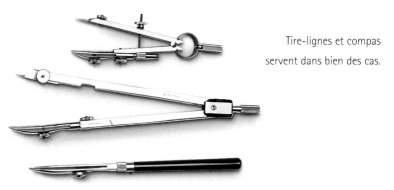

Tire-lignes et compas servent dans bien des cas.

En vous servant d'un pinceau, appliquez de l'encre ou de la peinture dans l'espace entre les deux extrémités du tire-ligne. Exercez-vous sur une feuille de papier à recycler jusqu'à ce que vous soyez capable de mettre la bonne quantité d'encre dans le tire-ligne.

Passez le tire-ligne le long du bord d'une règle biseautée (fig. 12), en vous assurant que l'encre n'entre pas en contact avec la règle. Si cela arrive, l'encre s'étalera lorsque vous retirerez la règle. De même, si vous mettez trop d'encre dans le tire-ligne, l'encre jaillira et fera une grosse bulle, alors que trop peu d'encre résultera en lignes inégales ou incomplètes.

Le tire-ligne peut être ajusté pour tracer une ligne épaisse ou mince, mais veillez à ce que la ligne ne soit pas trop épaisse, car vous augmenteriez le risque de produire une bulle d'encre sur la page. Les compas tire-lignes, qui fonctionnent exactement de la même façon, permettent de tracer des cercles parfaits sans problème.

fig.12. On passe le tire-ligne le long du bord biseauté de la règle pour éviter que la peinture ne touche la règle.

Signet avec bordure à la règle

1 Maquette d'un signet avec bordure à la règle.

2 Écrivez les lettres et ensuite tirez les lignes à la règle.

Mrs. Cathu Buchan

Mr. John Buchan

Ms. Laura Webster

MENU

To Start
Melon balls with cinnamon
or
Smoked salmon with salad garnish

Main Course
Duckling a l'orange or Roast Lamb with mint sauc
served with new potatoes, green beans and
Julienne of celery and carrots

Dessert
Profiteroles with chocolate sauce
Lemon Meringue Pie and cream
Cheese and biscuits

Coffee and

Écriture italique 4

Écriture italique

Nous allons maintenant nous attaquer à l'écriture italique, qui est assez près de l'écriture fondamentale condensée, mais dont les lettres sont inclinées d'environ 10 degrés de la verticale, tel qu'illustré à la figure 1.

Lorsque l'on écrit en italique, le plus important est de toujours conserver le même degré d'inclinaison, car les mots écrits suivant différents angles semblent très négligés. Comme pour les deux premiers alphabets avec lesquels nous avons travaillé, gardez votre plume à un angle de 30 degrés des lignes d'écriture. Si vous avez du mal à garder le même angle d'inclinaison, tracez quelques lignes-guides diagonales à intervalles réguliers pour vous y aider jusqu'à ce que vous soyez habitué. Les lettres sont formées telles qu'illustré dans la figure 2.

Cet alphabet est l'italique formel, plus régulier et arrondi que l'italique cursif, qui est plus fin et anguleux (et dont nous parlerons dans le prochain chapitre). Nous illustrons le « a », le « e », le « g » et le « y » arrondis, mais on peut aussi se servir des variantes utilisées dans l'écriture fondamentale condensée.

Se servir de la couleur

Il se peut que vous ayez besoin d'un choix de différentes couleurs lorsque vous préparez l'écriture d'un document, un menu par exemple. Il peut être différent d'écrire avec des encres de couleurs plutôt qu'avec de l'encre noire, parce que la consistance des couleurs varie habituellement. On trouve dans le commerce un grand choix d'encres de couleur, dont plusieurs sont vendues comme des encres à calligraphie. Tout comme pour l'encre noire, leur qualité varie énormément, mais la plupart sont en général assez claires et transparentes et coulent trop rapidement de la plume pour pouvoir tracer des lettres fines satisfaisantes. Mais il vaut tout de même la peine de faire l'essai de différents types d'encres de couleur et si vous trouvez que vous obtenez les mêmes résultats qu'avec de l'encre noire, alors c'est que l'encre est de bonne qualité.

Il est aussi facile d'écrire avec de la peinture. La gouache est une peinture à base d'eau qui se travaille très bien lorsqu'on l'utilise dans une plume. Elle est vendue en petits tubes, dans une grande gamme de couleurs et doit être mélangée avec de

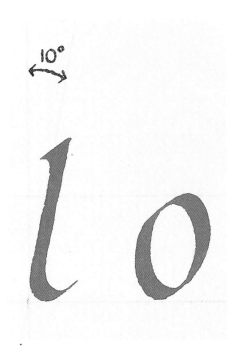

fig.1. Les lettres italiques sont tracées avec une inclinaison d'environ 10 degrés de la verticale.

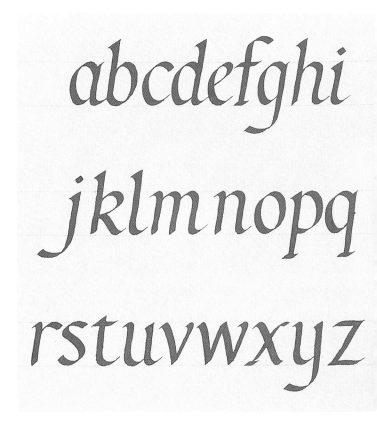

fig.2. Alphabet italique régulier.

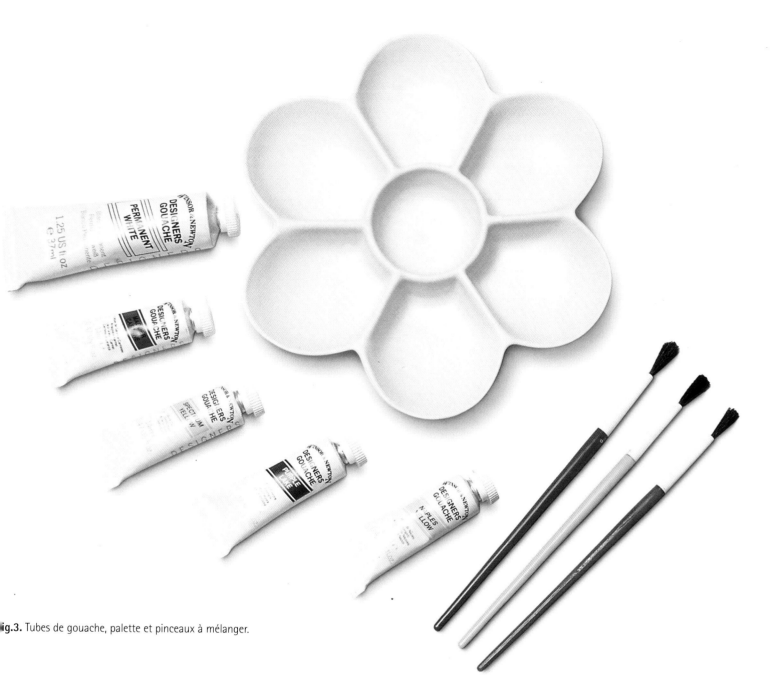

fig.3. Tubes de gouache, palette et pinceaux à mélanger.

eau sur une petite palette ou un dans un godet adéquat (fig. 3). La consistance idéale pour la calligraphie est celle d'une crème très claire. La peinture obtenue doit être d'une belle couleur opaque, mais pas épaisse au point de boucher la plume. Quand vous écrirez avec plusieurs couleurs différentes, vous vous apercevrez que leur consistance varie de l'une à autre légèrement. Certaines couleurs sont plutôt granuleuses – les bruns ont cette tendance — alors qu'il peut être difficile d'obtenir des verts opaques sans utiliser une consistance un eu plus épaisse que pour la plupart des autres couleurs. Faites oujours l'exercice de tracer quelques mots avec la couleur que vous venez de mélanger avant de travailler directement sur la

pièce que vous voulez produire, afin de vous assurer que la consistance soit la bonne. Lorsque vous travaillez avec de la peinture, il est bon, à l'occasion, de penser à rincer et essuyer la plume pour vous assurer que la peinture n'a pas séché sous le réservoir ou sur le bord extérieur.

Le choix des couleurs de gouache est très grand, parce que lorsque différentes couleurs sont mélangées ensemble, elles perdent de leur brillant. Évitez donc de mélanger les couleurs ensemble ; choisissez plutôt une seule couleur. Toutes les couleurs ont leurs avantages et leurs inconvénients, alors en général, votre choix sera un compromis. Nous avons fait la liste de quelques-unes des couleurs les plus utiles.

Gouache

L'ombre brûlé est un brun doux. Il est plutôt foncé lorsqu'on l'utilise tel qu'au sortir du tube, et exige de ce fait qu'on y ajoute un peu de blanc. Toutefois, comme c'est une couleur qui a tendance à pâlir rapidement, gardez le ton aussi profond que possible lorsque vous le mélangez.

Le jaune spectrum est un jaune vif, profond, dont l'intensité devrait être suffisante si vous écrivez sur une surface pâle. Si nécessaire, vous pouvez y ajouter du blanc pour la rendre plus opaque, mais si vous le faites, essayez d'en utiliser le moins possible, parce que le blanc est d'une consistance plus épaisse que la plupart des couleurs et la peinture risque de ne pas couler facilement de la plume. (Il n'est pas recommandé d'écrire avec de la peinture blanche.)

Lac écarlate est de loin le meilleur rouge : c'est une couleur vive magnifique et forte, et lorsque mélangée avec de l'eau, son opacité et sa consistance sont bonnes. Comme elle a tendance à s'étaler, il est bon, au moment de la mélanger à l'eau, d'ajouter une ou deux gouttes de gomme arabique pour vous assurer que la peinture reste fermement sur la page.

Le lac pourpre est un bon choix lorsque vous cherchez une couleur pourpre ; le violet parma est un autre bon choix. Des deux, le lac pourpre — un pourpre rougeâtre — s'affadit moins vite à la lumière du jour, alors que le violet parma, qui se trouve du côté bleu du spectre, est plus opaque.

L'ultramarine est un bleu vif et profond. Bien que sa couleur soit extrêmement vibrante lorsqu'on l'utilise telle qu'elle, elle tend à être un peu plus transparente lorsqu'on la mélange pour obtenir la bonne consistance. Si cela se produit, ajoutez-y un peu de blanc permanent.

Le vert permanent moyen est un bon vert moyen (il existe aussi des variantes claires et foncées de cette couleur). Bien que les verts aient tendance à pâlir lorsqu'ils sont exposés aux rayons du soleil, celui-ci se conserve mieux que la plupart des autres. Il tend à devenir transparent lorsqu'on le mélange pour obtenir la bonne consistance ; dans ce cas, vous pouvez ajouter un peu de blanc, mais souvenez-vous d'y aller avec parcimonie, parce que plus le vert est pâle, plus il aura tendance à s'affadir.

Le rose tyrien est un rose éclatant que vous devriez trouver très utile à certaines occasions.

On trouve également dans le commerce des bâtons d'encre de Chine de plusieurs couleurs (fig. 4), bien qu'on n'en trouve pas partout, comme c'est le cas pour les bouteilles d'encre et les tubes de gouache. Broyez les bâtons d'encre de couleur avec de l'eau dans une ardoise (fig. 5), de la même manière que vous le faites pour les bâtons d'encre noire, jusqu'à ce que vous obteniez l'intensité et la consistance voulues.

fig.5. Les bâtons d'encre de couleur sont moulus sur une ardoise de la même manière que le sont les bâtons d'encre noire.

fig.4. Bâtons d'encre de Chine de couleur.

Fabrication d'un menu et de cartons de table

Le menu ne doit pas dépasser 298 X 211 mm, une grandeur standard que l'on peut reproduire facilement par photocopie. Vous aurez besoin de trois différents formats de plume : un pour le titre, un pour le nom de chaque service et un autre pour le détail des mets.

Quand vous composerez votre menu, commencez par tracer les mots dans l'ordre et la forme générale que vous voulez leur donner (étape 1). Vous aurez ainsi une idée de l'espace requis par la quantité de lettres à tracer. Assurez-vous que les formats choisis s'insèrent bien dans les dimensions que vous voulez donner au menu. Si vous utilisez une plume de grosseur 4 pour le corps du texte, la hauteur des lignes sera de 4 mm (5/32 po), et l'interligne sera de 8 mm (11/32 po). Pour vérifier si la feuille dont vous voulez vous servir peut contenir tout le texte, mesurez les interlignes et les hauteurs de ligne sur toute la hauteur du brouillon. Vous découvrirez qu'une plume de grosseur 4 produit des lettres trop volumineuses pour les dimensions de la feuille

prévue. Essayez alors une plume de grosseur 5 pour produire de plus petites lettres.

Pour obtenir une bordure convenable et pouvoir orner chaque coin d'un joli dessin, il faut laisser une bonne marge tout autour de la feuille (étape 2). En vous servant du guide pour la hauteur des lignes (chapitre précédent), essayez de déterminer la grosseur de plume qui conviendra pour les deux autres formats de lettres.

En commençant par les plus petits caractères, faites le brouillon d'une des sections pour voir l'effet obtenu (étape 3).

Voyez maintenant quel sera le meilleur format pour la présentation du plat principal (étape 4). Les premières lettres sont trop grosses, alors utilisez le format plus petit (étape 5). Faites un brouillon contenant tous les caractères du

menu pour vous assurer que tout entrera sur votre feuille.

Travaillez le format des caractères du titre (étape 6). Il est bon d'écrire le titre suivant différents formats de lettres, puis de les découper et de les essayer un par un. Maintenant, ajoutez une bordure (étape 7). Une fois que vos choix sont bien arrêtés et que vous avez fait un brouillon comprenant toutes les lettres, tracez les lignes-guides et les interlignes sur votre feuille ou votre carton. On trouve du très beau papier en grandes feuilles ou en tablettes de différentes couleurs. L'étape 8 en illustre quelques-uns. Si vous voulez un papier vraiment spécial, vous pouvez aller chez un spécialiste qui vous montrera des échantillons ; vous pourrez alors choisir parmi des centaines de papiers de couleur, de texture et de poids différents. (Pour en savoir plus sur le papier et le carton, voir le chapitre 8.) Nous avons choisi un joli papier de bonne épaisseur, mais légèrement texturé (étape 9).

Étape 1. Premier brouillon de votre menu.

Étape 2. Il faut s'assurer que les formats de plumes choisis entrent bien dans les lignes d'écriture sur toute la hauteur de la feuille. Les colonnes de marques, à gauche, sont prévues pour une plume n° 4 pour petits caractères, mais cela laisse trop peu d'espace pour la bordure. La colonne de droite est conçue pour une plume n° 5, ce qui laisse assez d'espace pour la bordure.

Étape 3. Écrivez et placez le petit texte grossièrement sur l'épreuve.

Main Course

Main Course

Étape 4. Le plat principal est testé dans deux formats de caractères.

To Start
Melon balls with cinnamon
or
Smoked salmon with salad garnish

MENU   MENU

To Start
Melon balls with cinnamon
or
Smoked salmon with salad garnish

Main Course
Duckling a l'orange or Roast Lamb with mint sauce
served with new potatoes, green beans and
Julienne of celery and carrots

Dessert
Profiteroles with chocolate sauce
Lemon Meringue Pie and cream
Cheese and Biscuits

Coffee and mints

MENU

To Start
Melon balls with cinnamon
or
Smoked salmon with salad garnish

Main Course
Duckling a l'orange or Roast Lamb with mint sauce
served with new potatoes, green beans and
Julienne of celery and carrots

Dessert
Profiteroles with chocolate sauce
Lemon Meringue Pie and cream
Cheese and Biscuits

Coffee and mints

Étape 5. Les formats choisis mis en place sur le brouillon.

Étape 6. Essayez le titre dans différents formats.

Étape 7. Ajoutez la bordure pour compléter le brouillon.

Étape 8. Un choix de papiers et de cartons : carton Constellation Pearl en satin et motifs shantung ; carton Conqueror en vert, rose et bleu ; papier Parchmarque en blanc et quatre couleurs ; carton Canford, trois couleurs tirées de toute une gamme ; papier pastel Ingres en tablette trois couleurs.

Fabrication d'un menu et de cartons de table (suite)

Sur la photographie en gros plan (étape 10) vous pouvez voir le grain du papier, qui est assez prononcé. Si vous choisissez un papier avec ce genre de caractéristiques, pensez à acheter quelques feuilles de plus pour faire vos expériences. Lorsque vous vous servez d'une plume de petit format, veillez à ce qu'elle n'accroche pas les fibres du papier. La plupart des papiers ne présentent pas de difficulté, mais il est très fâcheux d'accrocher sa plume sur une surface qui n'est pas uniforme et d'éclabousser la feuille d'encre. Bien qu'on puisse effacer les erreurs sur la plupart des papiers de bonne qualité (voir pages 84-87), il vaut toujours mieux les prévenir.

Mesurez et tracez vos lignes-guides et marques sur le papier choisi. Vous êtes maintenant prêt à écrire votre menu (étape 11).

Écrivez le titre à la gouache rouge écarlate, un rouge vif magnifique qui donnera de la vie à votre travail.

Utilisez de la gouache vert moyen permanent pour tracer les en-têtes des services et vérifiez alors que votre mélange possède la consistance idéale et que les lettres ne soient pas transparentes. En vous servant d'une feuille de garde, tracez les en-têtes de tous les services en prenant soin de ne pas toucher la surface d'écriture avec vos mains.

Ajoutez les petits détails à l'encre noire.

La peinture or produit un très bel effet et nous l'avons utilisée pour décorer les coins et créer des lignes entre les services. Winsor et Newton fabriquent une gouache or très riche, dont la couleur est semblable à celle de l'or véritable. Pour bien couvrir le papier sans trop d'inégalités, la gouache or doit être assez épaisse lorsqu'on l'applique. On trouve d'autres bonnes peintures de couleur or dans le commerce, comme celle fabriquée par Pelikan, mais elles sont parfois difficiles à trouver. Quand vous aurez terminé, effacez doucement les lignes-guides, en faisant particulièrement attention autour des lettres de gouache rouge. Servez-vous d'une gomme très douce, pour

qu'elle ne laisse pas de marque sur le papier. Vous pouvez aussi fabriquer des cartons de table assortis. Ils sont très faciles à faire. Tracez d'abord des brouillons avec le nom de chacun de vos invités, de manière à prendre leur mesure et bien centrer chaque nom sur les cartons.

Ajoutez ensuite une petite décoration de feuilles de houx. Enfin, dessinez une bordure intérieure avec un tire-ligne, en rappel de la décoration du menu.

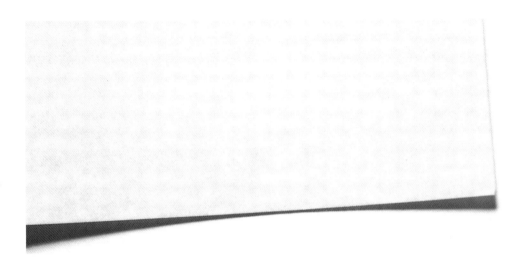

Étape 9. Le papier choisi est un carton Parchmarque de couleur crème. La surface est texturée, mais assez douce pour la calligraphie.

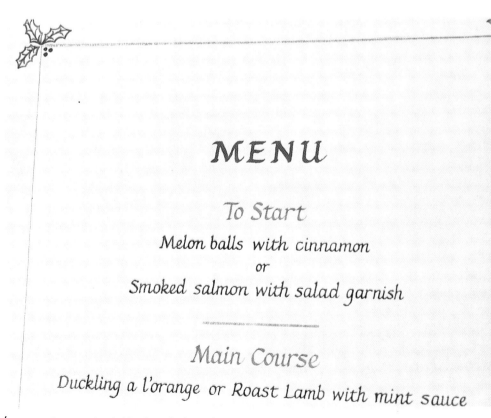

MENU

To Start
Melon balls with cinnamon
or
Smoked salmon with salad garnish

Main Course
Duckling a l'orange or Roast Lamb with mint sauce

Étape 10. On aperçoit très bien le grain du papier.

Step 11. L'écriture de votre menu.

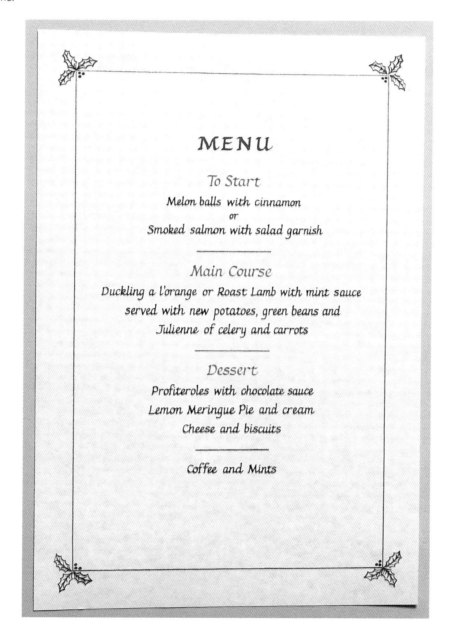

MENU

To Start

Melon balls with cinnamon
or
Smoked salmon with salad garnish

Main Course

Duckling a l'orange or Roast Lamb with mint sauce
served with new potatoes, green beans and
Julienne of celery and carrots

Dessert

Profiteroles with chocolate sauce
Lemon Meringue Pie and cream
Cheese and biscuits

Coffee and Mints

Dessiner un certificat

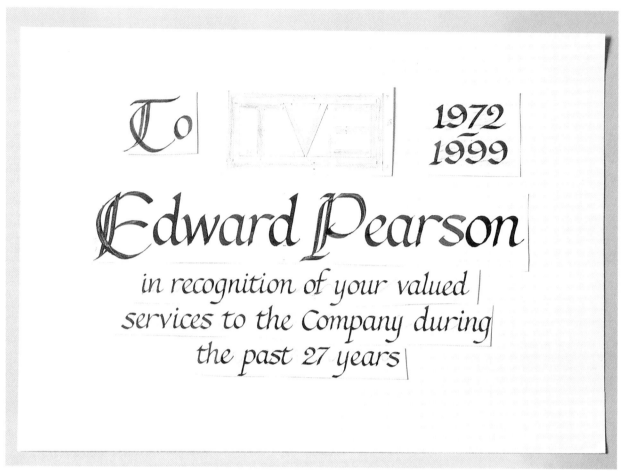

1 Coupez et collez les mots écrits sur une feuille brouillon
pour déterminer la mise en page suivant le format paysage.

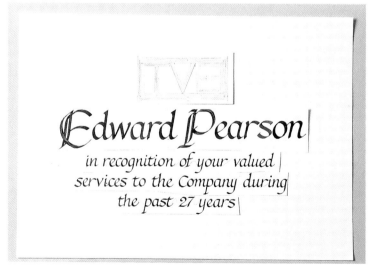

2 Commencez votre brouillon avec le titre principal pour ensuite centrer le
texte plus petit en dessous.

3 Pour déterminer la meilleure combinaison, on peut apporter des ajustements
aux formats des lettres. Ensuite, le logo, les dates et la mention « À » sont
placés de manière à donner le meilleur effet d'ensemble possible.

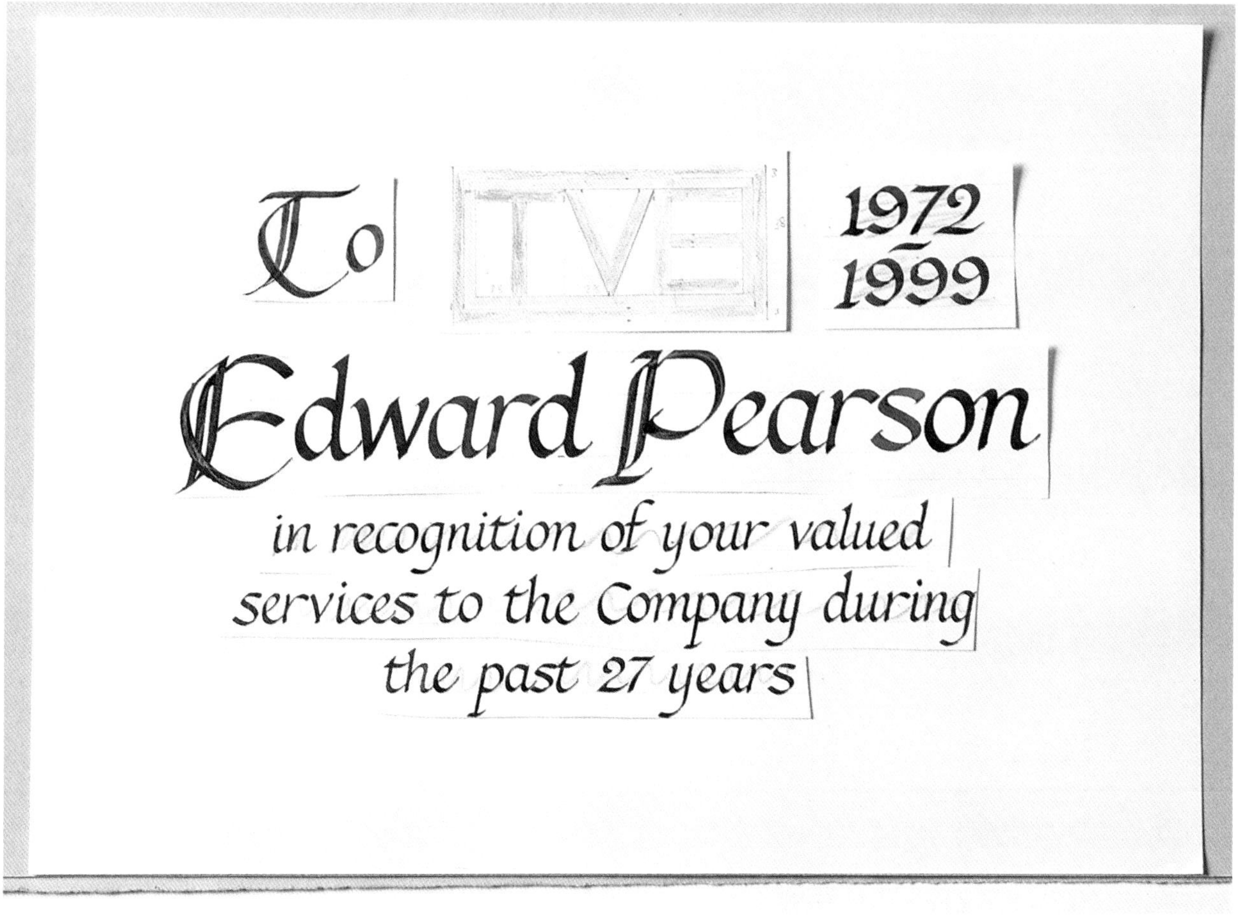

4 Voici le brouillon complété.

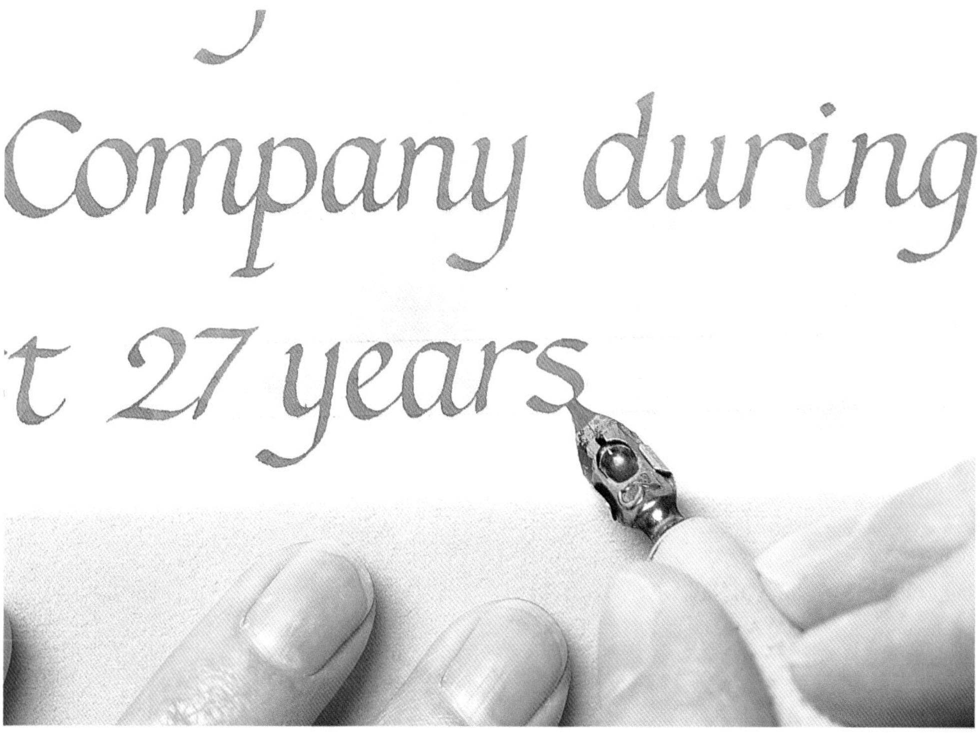

5 Le papier choisi pour ce certificat, appelé Marlmarque, a un effet marbré. Les lignes d'écriture sont tracées légèrement au crayon pour éviter de créer des marques sur le papier. Ajoutez des marques pour le début et la fin de chaque ligne de texte. Vous êtes prêt à écrire votre certificat.

Dessiner un certificat (suite)

On se sert d'une plume no 1 pour le nom principal et no 2 1/2 pour les trois lignes de texte inférieures. Les autres mots sont écrits avec une plume de grosseur 1 1/2. Les grandes initiales du nom principal et la mention « À » sont de grandes lettres italiques écrites avec une plume double pour les traits descendants. On se sert du format de plume no 1, même si la hauteur des lettres excède les sept becs de plume ; c'est parce que les doubles traits produisent des lettres plus grandes qui dépassent la ligne-guide inférieure. Ces lettres ont été adaptées

d'autres styles d'écriture pour créer un motif plus intéressant, car ce certificat de format A-4 contient assez peu de texte. (Nous parlerons plus en détail des lettres à double trait au chapitre suivant.)

Les positions des deux grandes lettres dorées peuvent être établies en se servant du brouillon comme guide. Ce sont les premières à être tracées.

On trace ensuite le texte noir, de manière à ce qu'il tombe bien en place à la suite des initiales dorées.

Le « À », les dates, et les dernières lignes de texte sont ensuite tracées. Une fois le texte complété, le logo est dessiné. On peint ensuite les couleurs de l'arrière-plan. Les lettres vertes et or et le logo sont peints à la gouache.

La bordure du logo est tracée à la règle pour plus de précision.

Enfin, les lignes d'écriture sont effacées en prenant bien soin de ne pas étaler l'encre des lettres.

Change of Address:~

From 26 October 2000

Sarah and Christopher Eames

will be living at

Telephone
01716 214188

24 High Bank Cottage,
Milton Lane, Westcott,
Buckinghamshire

Italique cursif 5

Italique cursif

L'italique cursif, qui offre un contraste plus grand entre les pleins et les déliés, est une variante stylisée de l'écriture italique. On peut adapter l'italique cursif en un style manuscrit assez rapide d'exécution pour être pratique, quoiqu'il gardera toujours les caractéristiques propres à la calligraphie classique.

fig 1. Traits de convergence pour les lettres en italique cursif

Avant de vous attaquer à l'alphabet entier, exercez-vous à tracer les traits de la figure 1. Ce sont les deux traits convergents qui donnent à ce style son aspect différent (comparez les deux styles de la figure 2). Les lettres de l'écriture italique cursive peuvent aussi être formées avec des traits plus continus que ceux de l'écriture italique régulière.

L'alphabet complet apparaît à la figure 3. Notez que le sommet de quelques-unes des lettres arrondies a été légèrement aplati (figure 4). Les empattements, et tout spécialement le sommet des traits ascendants, sont beaucoup plus élancés que ceux des lettres italiques régulières. Dans la plupart des cas, il s'agit uniquement d'un subtil arrondi du trait au début et à la fin (figure 5), ce qui permet d'écrire plus vite et rend le style plus simple et plus clair. On ajoute normalement une longue queue au « f », pour l'assortir au « g », au « j » et au « y ». Quand un style plus décoratif est exigé, il se transforme en arabesques extravagantes et en empattements allongés. (Nous en reparlerons plus loin dans ce chapitre.)

La figure 6 montre un ensemble de capitales sans ornements, qui accompagnent les minuscules de l'italique cursif. Comme les minuscules, les capitales sont construites avec un minimum d'empattements et de levés de plume. Ce sont des lettres très simples, d'allure moderne, qui donnent la nette impression d'une grande liberté de mouvement. Nous nous en sommes servi dans la figure 7 pour reproduire un passage de Roméo et Juliette, de Shakespeare, donnant aux répliques des deux amants des couleurs respectives. (Le texte est écrit sur un carton bleu Conqueror, dont la surface est lisse. Ce carton boit très bien l'encre et il est suffisamment doux pour calligraphier avec une plume assez petite.) La figure 8 montre différentes variantes de capitales italiques.

fig.2. Les lettres « a » et « n » en italique cursif et en italique régulier. Le cursif est à gauche.

fig. 3. L'alphabet italique cursif.

a c g

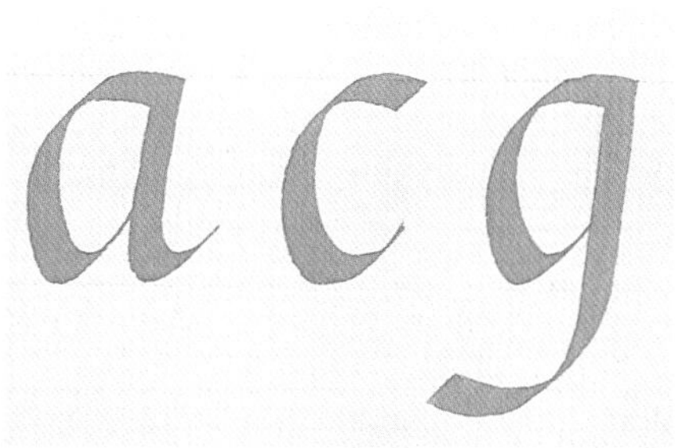

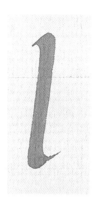

fig. 4. Les lettres rondes sont aplaties au sommet.

l

fig. 5. On utilise des empattements minimaux pour les lettres italiques cursives.

ABCDEFGH
IJKLMNOP
QRSTUVWX
YZ

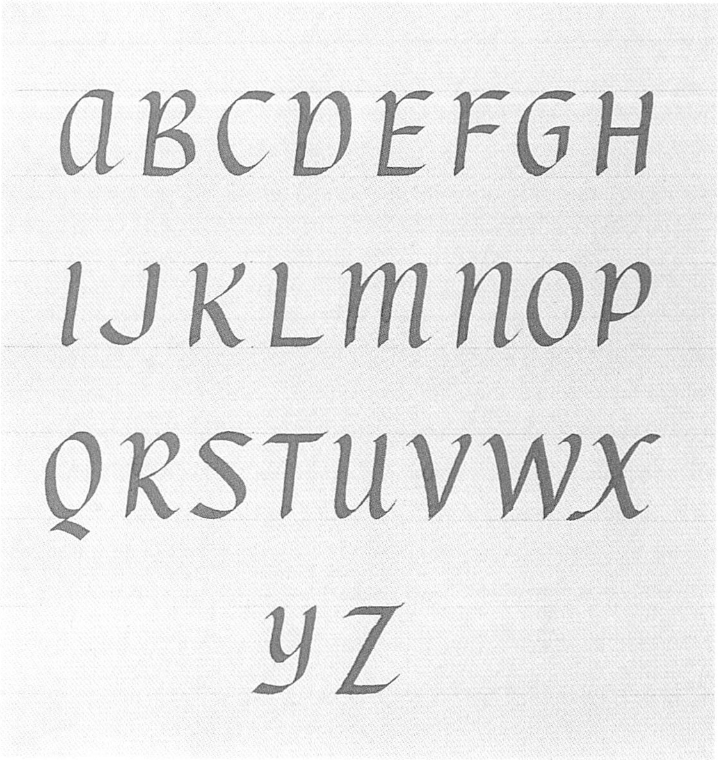

fig. 6. Capitales en italique cursif simple.

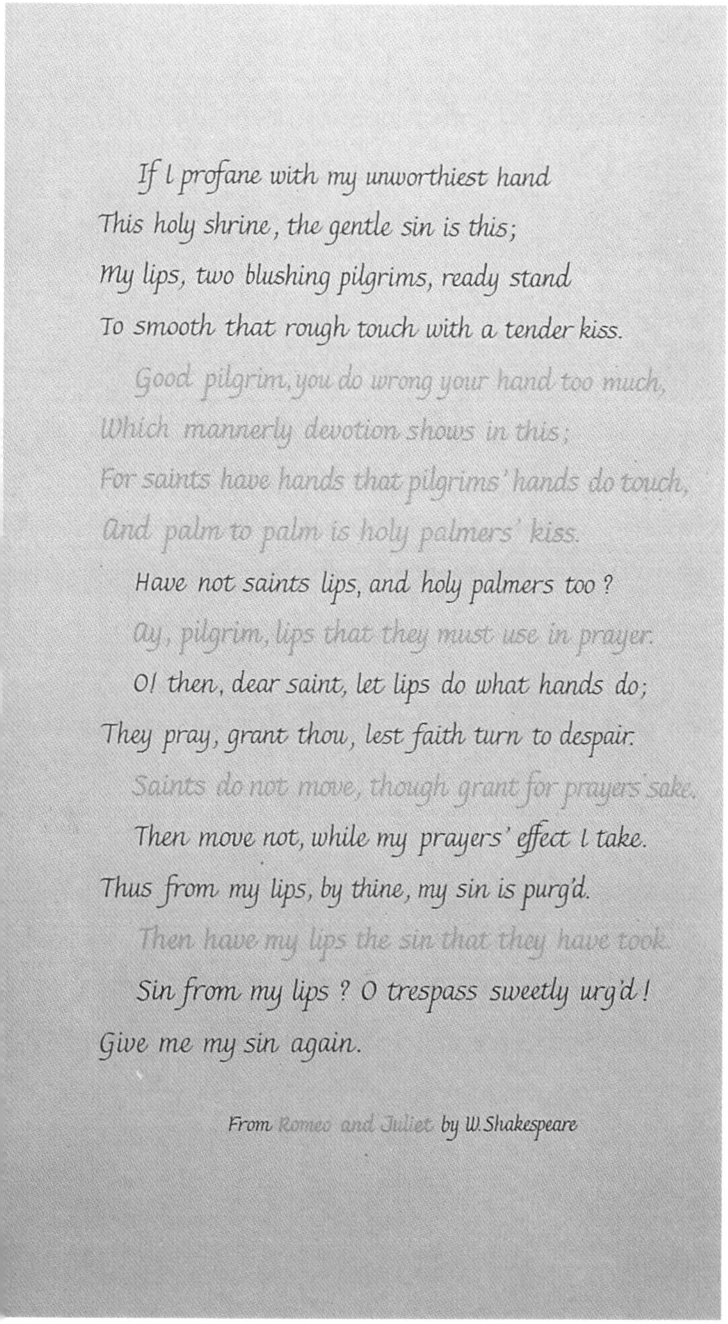

If I profane with my unworthiest hand
This holy shrine, the gentle sin is this;
My lips, two blushing pilgrims, ready stand
To smooth that rough touch with a tender kiss.
Good pilgrim, you do wrong your hand too much,
Which mannerly devotion shows in this;
For saints have hands that pilgrims' hands do touch,
And palm to palm is holy palmers' kiss.
Have not saints lips, and holy palmers too ?
Ay, pilgrim, lips that they must use in prayer.
O! then, dear saint, let lips do what hands do;
They pray, grant thou, lest faith turn to despair.
Saints do not move, though grant for prayers' sake.
Then move not, while my prayers' effect I take.
Thus from my lips, by thine, my sin is purg'd.
Then have my lips the sin that they have took.
Sin from my lips ? O trespass sweetly urg'd !
Give me my sin again.
From Romeo and Juliet by W. Shakespeare

fig. 7. Un extrait de Roméo et Juliette en écriture italique cursive.

V W Y

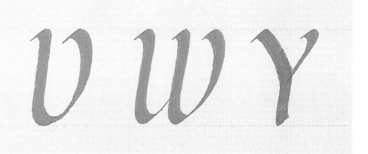

fig. 8. Différents choix de capitales en italique cursif.

Écrire des avis de changement d'adresse

Quand vous concevez une pièce, vous ne voulez pas toujours centrer toutes les lettres, et si vous optez pour un texte décentré, il est important de trouver le bon équilibre et le bon espacement dans toute la page. Ce principe est illustré dans le projet facile qui suit — un avis de changement d'adresse — dont le brouillon est présenté dans l'étape 1. Pour ce projet, nous avons utilisé une plume no 3 pour tracer le nom, une plume no 4 pour la ligne supérieure d'écriture, et une plume no 5 pour le reste des mots.

Dessinez différents modèles pour voir lequel produit le meilleur coup d'œil (étape 2).

Le premier exemple, où le texte est complètement centré, est précis, mais pas très intéressant. Le deuxième exemple montre un retrait graduel des lignes de texte dans la page, du bord supérieur gauche au bord inférieur droit, avec le numéro de téléphone s'insérant dans la case vide du coin gauche inférieur. Les mises en page verticales ne sont pas très pratiques pour ce genre d'avis, car pour en faciliter la lecture, il faudrait que les noms des personnes et des endroits soient divisés sur trop de lignes. Le meilleur choix pour ce projet est celui en format paysage, (b), où le texte apparaît en retrait graduel de gauche à droite.

Faites un brouillon avec tous les mots (étape 3), en vous servant des formats de plumes appropriés. Découpez les mots et disposez-les sur une feuille en apportant des retouches si nécessaire et jusqu'à ce que vous soyez satisfait de votre brouillon.

Mesurez et tracez vos lignes-guides et vos points de repère sur le carton de votre choix. Vous êtes maintenant prêt à écrire votre avis de changement d'adresse (étape 4).

En vous servant d'un tire-ligne, ajoutez des motifs linéaires dans les deux coins vides, pour équilibrer le dessin.

Étape 1. Texte requis pour un avis de changement d'adresse.

Étape 2. Différents croquis pour votre avis de changement d'adresse.

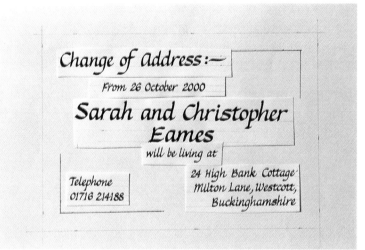

Étape 3. Découpez et collez le texte selon le modèle choisi.

Étape 4. Écriture de votre avis de changement d'adresse.

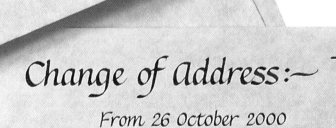

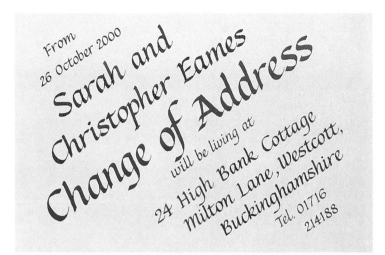

fig.9. Un avis de changement d'adresse disposé à la diagonale sur un carton Canford mauve.

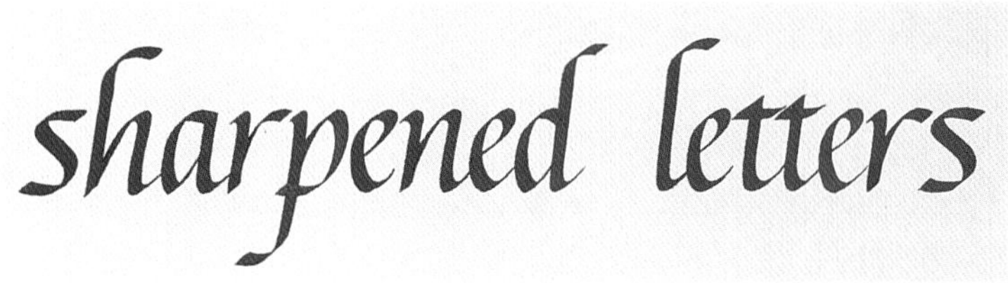

fig. 10. Écriture italique cursive affinée, pour donner un meilleur contraste entre les traits.

fig.11. L'empattement de la lettre P coule du trait descendant vers l'arrière.

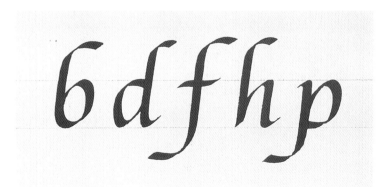

fig.12. Empattements drapeaux sur les hampes et les hastes.

La figure 9 montre un autre design possible pour un avis de changement d'adresse. Le texte a été écrit en diagonale, à l'encre noire et avec de la gouache mauve, en travers d'un carton Canford de couleur lilas (les cartons Canford sont vendus dans une grande gamme de couleurs et disponibles dans de nombreuses boutiques d'art).

Drapeaux et arabesques

L'italique cursif peut être affiné de façon encore plus importante que dans les exemples vus jusqu'ici. La figure 10 présente des lettres dont les courbes sont très accentuées au début et à la fin des traits, aussi minces qu'un cheveu lorsqu'elles correspondent aux changements de direction de la plume. Notez que l'on a ajouté un empattement arrière à la queue de la lettre « p » pour donner une plus grande impression de mouvement (figure 11).

Comme nous l'avons déjà mentionné, l'écriture cursive tend à exagérer les empattements et les arabesques. La figure 12 montre quelques-unes des lettres minuscules auxquelles il est particulièrement facile d'ajouter de telles fioritures. Ces lettres ont des hampes ou des hastes auxquelles peut être ajouté un empattement en drapeau, pour accentuer l'impression de mouvement vers l'avant de l'écriture. On peut aussi relier des combinaisons de lettres pour donner un meilleur effet (figure 13).

Les lettres capitales écrites dans ce style se prêtent encore mieux aux fioritures et l'alphabet de la figure 14 illustre différentes variantes avec traits en arabesques.

fig.13. Combinaisons de lettres peuvent être reliées ensemble.

fig.14. Capitales italiques avec arabesques.

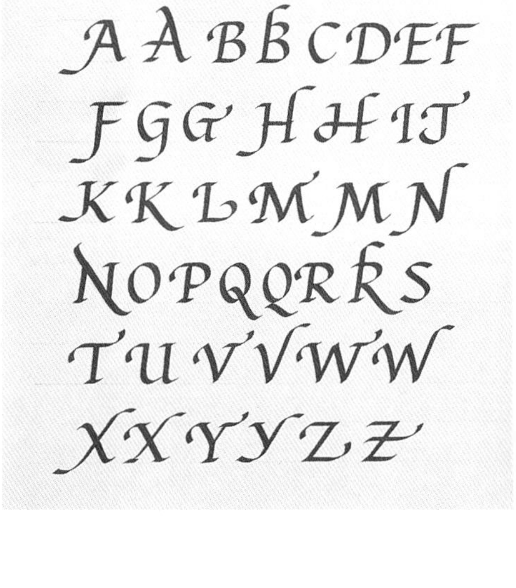

Des empattements de la finesse d'un cheveu sont parfois ajoutés aux extrémités des lettres italiques cursives pour leur donner plus de finesse. Il faut toutefois être assez habile avec la plume pour créer un bel effet avec ces traits extrêmement fins. Tout ce qu'il faut, c'est un léger coup de plume (figure 15), seul le coin gauche de la plume demeure brièvement en contact avec le papier. Notez que ce genre de trait devrait être employé occasionnellement, et non systématiquement (fig. 16), car cela pourrait détruire le charme et la spontanéité du style.

Monogrammes

Vous pouvez dessiner un monogramme en construisant une capitale garnie d'une série d'arabesques. La meilleure manière de procéder consiste à la tracer d'abord au crayon. Souvenez-vous qu'il faut du temps pour réussir un beau motif aux formes intéressantes et aux courbes gracieuses et souples.

Essayez de tracer la plupart des arabesques à l'extérieur de la lettre de manière à la mettre en valeur, car après tout, c'est la raison d'être du motif. Le « A » de l'étape 1 présente une simple série de boucles s'enroulant sur elles-mêmes avant de se terminer par une courbe finale, au sommet de la lettre.

Assurez-vous de l'équilibre du dessin en traçant à la règle une ligne verticale au centre de la lettre et en partageant le motif des deux côtés (étape 2). Tracez maintenant votre dessin sur votre carton (étape 3).

Fig.15. Empattements de la finesse d'un cheveu.

Étape 1. Un « A » en monogramme.

Étape 2. Une ligne de division aide à équilibrer le dessin sur le brouillon.

Étape 3. On trace la lettre sur le carton en ajoutant au crayon les lignes qu'il faudra suivre quand viendra le temps de dessiner les arabesques.

Fig.16. Empattements trop travaillés.

Quand vous serez satisfait de votre tracé au crayon, travailler les traits à la plume de votre mieux pour obtenir le meilleur effet possible. L'angle de la plume doit être le même que lorsque vous tracez des lettres ordinaires ; vous produirez ainsi les mêmes contrastes dans les déliés et les pleins. Si vous trouvez certains traits difficiles à tracer, tels les longs traits fins obliques (étape 4), corrigez votre dessin pour en faire le moins possible.

Vous ne pouvez réaliser toute l'arabesque d'un seul trait de plume, parce que la plume de métal poussée en sens inverse est difficile à manier. Ainsi, chaque partie des arabesques devrait constituer un trait séparé (étape 5) attaché aux autres dans les courbes (étape 6).

Pour créer un effet spécial, la lettre peut être faite de doubles traits (étape 7), ou encore d'une combinaison de traits simples et doubles. Le corps de la lettre sera plus gros et plus épais, ses membres étant composés de deux traits et d'un espace blanc. Ainsi, le « N » de la figure 17 est formé de trois doubles traits terminés par des courbes aux quatre coins. La figure 18 illustre le monogramme à doubles traits de la lettre « H ».

Dans le cas de design plus complexes, il se peut que vous ayez l'impression qu'il y a congestion dans les parties où certains des traits les plus épais se croisent (fig. 19). Ces traits peuvent aussi masquer complètement certains espaces et risquer de gâcher le motif. Il faut alors corriger ces parties et mieux espacer les traits dans le dessin final (fig. 20).

Deux lettres donnent encore plus d'espace pour créer des ornementations en arabesques (fig. 21 et 22). Utilisez une feuille de papier ou un carton doux pour créer des traits souples et gracieux. Quand vous aurez composé votre motif, vous pourrez aller de l'avant et essayer de le réaliser à la volée, ou commencer par le tracer au crayon.

Étape 4. Faites bien attention en traçant les fins traits obliques, car ce sont les plus difficiles à réussir.

Étape 5. Chaque partie des arabesques devrait constituer un trait distinct.

Étape 6. Chaque trait distinct devrait se joindre parfaitement aux autres.

Fig.17. Un monogramme de la lettre « N » composé de doubles traits.

Fug.18. Un monogramme de la lettre « H » composé de doubles traits.

Fig.19. Dans ce monogramme, certaines parties où des traits s'entrecroisent sont trop étriquées.

Fig.20. Les espaces entre les traits entrecroisés sont mieux réussis dans ce « Q » redessiné.

Fig.21. Monogramme des lettres « LC ».

Fig.22. Monogramme des lettres « PG » composé de doubles traits.

fig. 23. Un alphabet de capitales à doubles traits.

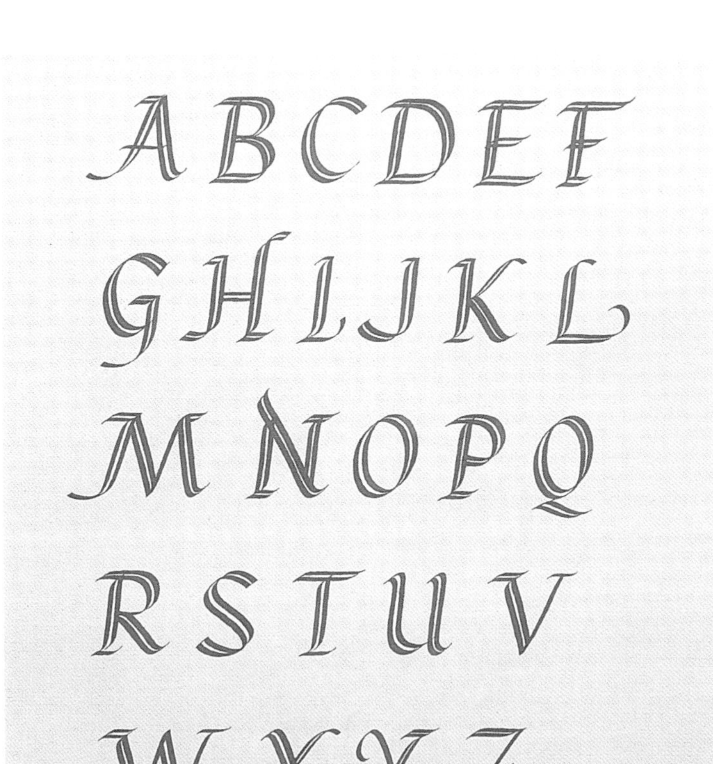

fig. 24. Capitales italiques à doubles traits.

Lettres à doubles traits

Les lettres à doubles traits peuvent être utiles dans les titres et les lettres initiales des poèmes en vers. L'illustration 23 montre l'alphabet en capitales à doubles traits et la figure 24, un alphabet en capitales italiques à doubles traits. Bien que ces lettres aient été tracées avec une plume no 3 sur une hauteur de 32 mm (1 1/2 po), vous avez beaucoup de latitude lorsque vous produisez des lettres à doubles traits. Par exemple, les lettres illustrées par la figure 25 ont été tracées avec un même format de plume pour montrer qu'il est quand même possible de tracer des lettres de tailles différentes.

La figure 26 détaille quelques lettres et indique le tracé de chaque trait pour vous aider à maîtriser leur élaboration. Certaines lettres exigerons que vous vous exerciez de nombreuses fois avant de réussir à tracer chaque trait dans l'ordre voulu pour créer la meilleure forme possible. Comme vous pouvez le constater, les lettres à doubles traits se font de la même manière, qu'elles soient droites ou inclinées.

Lorsque vous tracez une combinaison de lettres qui s'entrecroisent, il faut le faire avec beaucoup de minutie, pour ne pas vous retrouver avec un ensemble sans attrait, un fouillis de lettres mal agencées. La lettre « A » est l'une des plus difficiles à réaliser avec des doubles traits, parce que ses lignes se croisent à plusieurs endroits.

Pour les lettres à panse, telles le « B », le « C », le « D » et ainsi de suite ; la courbe extérieure doit être tracée en premier afin que la forme soit bien déterminée avant d'ajouter la courbe intérieure. Là où les traits horizontaux de la base de la lettre croisent les arrondis, la courbe extérieure devrait rejoindre le trait horizontal intérieur, et la courbe intérieure, le trait horizontal extérieur du pied de la lettre (fig. 27).

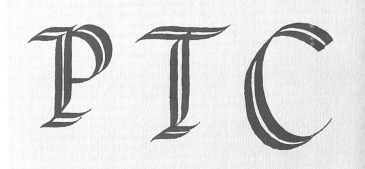

fig. 25. Le même format de plume a tracé ces trois lettres à doubles traits de différentes tailles.

De nombreuses lettres, telles « V » et « W », paraissent mieux si au moins un de leurs traits n'est pas double. D'autres lettres, telles les « L » et « Y », bénéficieront de l'ajout d'un trait d'équilibre servant à garantir une bonne distribution du poids de la lettre.

La figure 28 présente une page de calligraphie où des lettres à doubles traits débutent chaque strophe ainsi que le titre. Les petites lettres ont reçues quelques arabesques additionnelles. La lettre « H », en particulier, se prête à ce genre de fioritures.

Remarquez le design de cette page : les strophes ont été placées en retrait, de la gauche vers la droite jusqu'au bas de la page, ce qui amplifie la largeur du texte. Une page comme celle-ci, qui comprend cinq strophes faites de phrases assez courtes, donnerait une longue colonne étroite sur toute la hauteur de la page si les strophes étaient écrites directement les unes sous les autres. Le design que voici distingue nettement les larges initiales de l'ensemble du texte. Pour l'ensemble des strophes, la même construction a été respectée, soit un retrait égal de gauche à droite à chaque ligne.

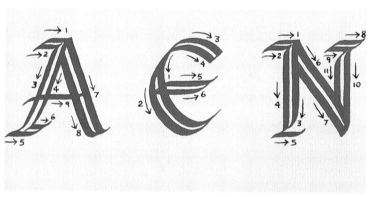

fig. 26. L'ordre dans lequel on trace les traits doit être mis en pratique avec application.

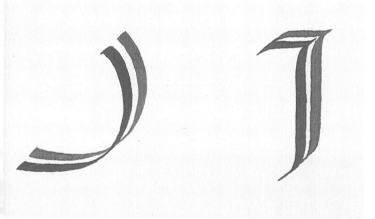

fig. 27. Il faut que les traits intérieur et extérieur se croisent et se rejoignent correctement.

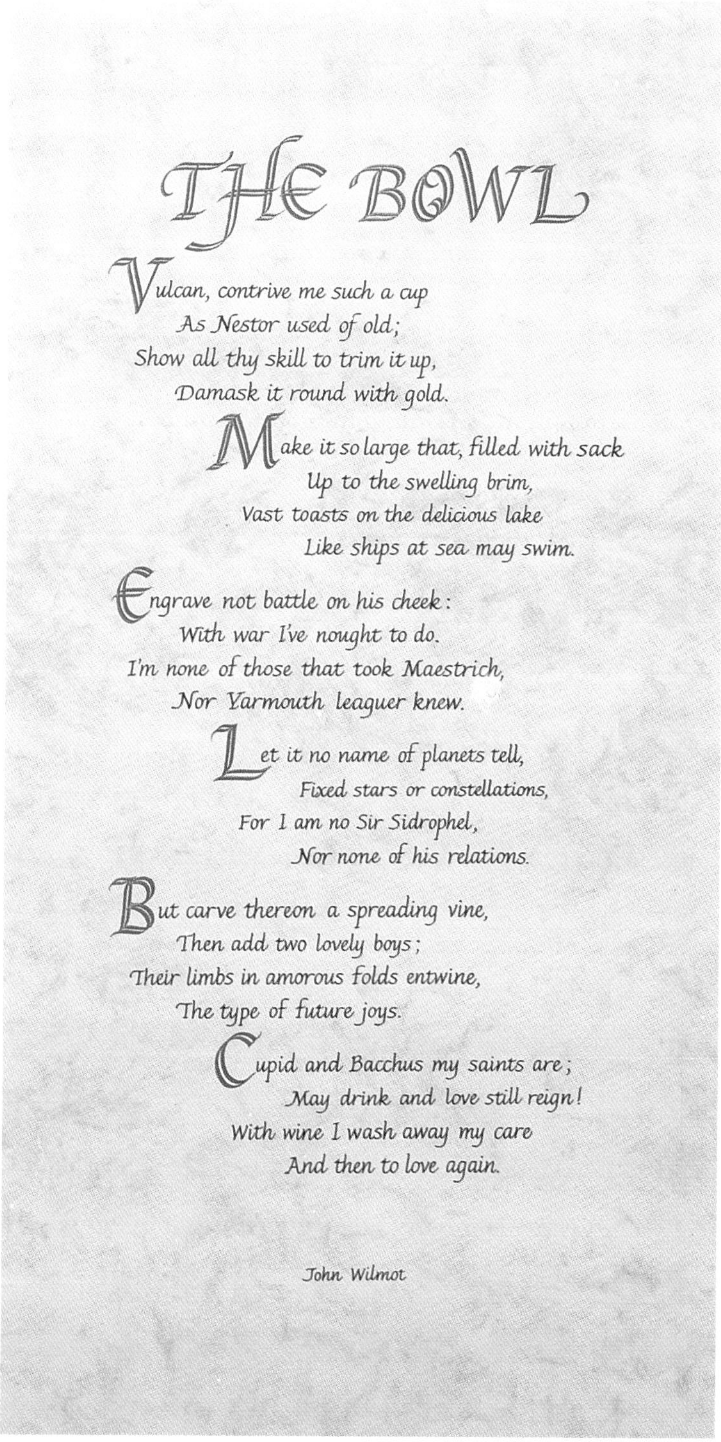

THE BOWL

Vulcan, contrive me such a cup
As Nestor used of old;
Show all thy skill to trim it up,
Damask it round with gold.

Make it so large that, filled with sack
Up to the swelling brim,
Vast toasts on the delicious lake
Like ships at sea may swim.

Engrave not battle on his cheek :
With war I've nought to do.
I'm none of those that took Maestrich,
Nor Yarmouth leaguer knew.

Let it no name of planets tell,
Fixed stars or constellations,
For I am no Sir Sidrophel,
Nor none of his relations.

But carve thereon a spreading vine,
Then add two lovely boys;
Their limbs in amorous folds entwine,
The type of future joys.

Cupid and Bacchus my saints are;
May drink and love still reign!
With wine I wash away my care
And then to love again.

John Wilmot

fig. 28. Texte avec capitales à doubles traits.

Les lettres à doubles traits sont aussi très utiles pour former de gros caractères, parce que le trait double forme une lettre beaucoup plus grosse que la capitale à trait unique tracée à la plume. Faire des lettres à doubles traits peut vous éviter d'avoir à travailler avec des plumes très larges, parfois peu commodes à manipuler et qui peuvent produire des lettres inadéquates si la plume n'est pas assez fine ou si elle contient trop d'encre. Toutefois, si vous ne voulez pas que vos lettres à doubles traits paraissent trop grosses en comparaison du reste du texte tracé avec des traits simples, vous devrez utiliser une plume de plus petit format.

Vous pouvez vous procurer des plumes aux pointes plus ou moins écartées et de différentes épaisseurs (fig. 29) pour exécuter les doubles traits. Les pointes sont normalement assez fines pour que les lettres réalisées soient très légères et d'aspect transparent (fig. 30). L'exemple illustré a été écrit avec une plume Mitchell « Scroll Writer » de grosseur 50. On trouve aussi dans le commerce une plume à partitions (fig. 31), avec cinq pointes permettant de tracer des portées ; les pointes du bas et du haut sont légèrement plus larges que les trois pointes du centre. Il est amusant d'essayer ce genre de plumes, car elles permettent de réussir des effets intéressants.

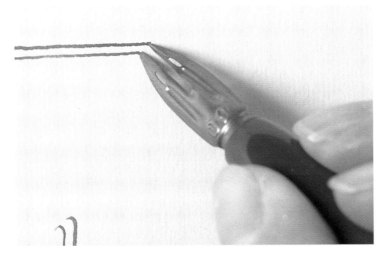

fig. 29. Une plume à pointe double.

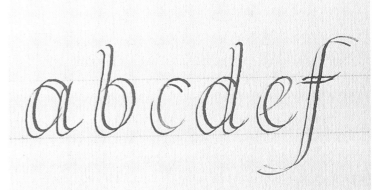

fig. 30. Lettres réalisées avec une plume à pointe double.

fig. 31. Une plume à partitions musicales de cinq lignes.

Elswood Horticultural Society

SPRING

FETE

and Plant Sale

Saturday 15th May 2000

ELSWOOD VILLAGE HALL

from 1pm – 5pm

Admission £1

Gardening Advice
Books
Cake Stall
Tombolla
Refreshments
Craftwork
Paintings
Animal welfare

Utilisation des capitales

6

Utilisation des capitales

On a souvent besoin de la calligraphie pour produire des affiches et nous développerons quelques projets d'affiches dans ce chapitre. Nous parlerons ensuite de présentations et verrons de plus près les grosses lettres capitales, en particulier les capitales romaines, à l'origine de constructions assez complexes, mais qui peuvent être transformées en un style moderne plus simple.

Capitales romaines

La figure 1 montre les capitales de l'alphabet romain tandis qu'à la figure 2, les lettres sont regroupées selon leur largeur. À partir de ces exemples, vous constaterez que le « O » est complètement circulaire, que le « C », le « D », le « G » et le « Q » sont également fondés sur la forme circulaire, et que les « H », « M », « N » et « W » sont aussi larges que le « O ».

La figure 3 présente les lettres étroites, à peine plus larges que la moitié de la largeur du « O ». Notez l'utilisation parcimonieuse d'assez petits empattements. La figure 4 illustre le reste des lettres. Dans l'alphabet en capitales romaines, plusieurs des lettres amorcées par un empattement dans les alphabets étudiés jusqu'ici commencent plutôt par un trait vertical ascendant, droit et continu (fig. 5), suivi d'un trait supérieur formant aussi l'empattement. Les lettres « B », « D », « E », « F », « P » et « R » ont subi un traitement comparable à celui de l'alphabet avec empattements droits (fig. 8, page 35), mais les proportions des lettres diffèrent légèrement. La différence entre les capitales romaines et les capitales de l'écriture fondamentale, c'est que celles de l'écriture fondamentale sont toutes de proportions égales, compte tenu de leurs formes respectives, alors que les lettres romaines sont soient larges, soient étroites, suivant la forme de chaque lettre.

Les Romains étaient très précis et d'esprit mathématique dans les techniques d'écriture qu'ils utilisaient pour graver des inscriptions sur les monuments ; ils concevaient les formes des lettres de manière à ce qu'elles soient bien équilibrées. Bien qu'on ne puisse atteindre le même degré de précision en traçant des lettres à la plume, les proportions de l'ensemble peuvent être adaptées pour donner un bel effet à des travaux.

ABCDEFG
HIJKLMN
OPQRSTU
VWXYZ

fig.1. Lettres capitales romaines.

CDGHMN
OQW

fig.2. Lettres larges.

BEFKLP
RSY

fig.3. Lettres étroites.

ATUVXZ

fig.4. Le reste des lettres, situées entre les deux extrêmes.

fig.5. Traits formant le sommet de plusieurs capitales romaines.

Affiches

Nous allons insérer dans une affiche un texte annonçant une fête printanière (étape 1). Les parties du texte sur lesquelles il faut mettre l'accent sont : le nom et la date, l'heure et le lieu de l'événement. Les autres détails sont secondaires.

Comme les formats de papier dont se servent les imprimeurs sont habituellement de grandeur « A », si vous désirez faire reproduire votre affiche en plusieurs exemplaires, il est préférable de planifier votre dessin selon la grandeur A qui servira le mieux vos exigences. La série complète de grandeurs dont vous pourriez vous servir va ainsi : A0 (1,192 x 844 mm), A1 (844 x 596 mm), A2 (596 x 422 mm), A3 (422 x 298 mm), A4 (298 x 211 mm) et A5 (211 x 149 mm), chaque format étant le double du précédent. Le format le plus couramment utilisé pour la papeterie de bureau est le A4, tandis que le A3 est précisément le format que vous voyez le plus souvent sur les arbres et les panneaux d'affichage. Votre affiche sera de format A3.

Lorsque vous créerez votre annonce, vous pourrez la faire exactement aux dimensions désirées, ou l'agrandir légèrement pour ensuite demander à l'imprimeur de la réduire aux dimensions de l'affiche. L'avantage de faire réduire votre travail original à la grandeur désirée, c'est que la réduction rendra les lettres plus nettes et minimisera l'impact des petites erreurs. Un inconvénient toutefois : comme les lettres sur les affiches sont habituellement assez grosses, vous aurez peut-être de la difficulté à trouver des plumes assez larges pour tracer des lettres encore plus grosses. Ne créez jamais d'annonce originale plus petite que le format prévu, car le processus d'agrandissement magnifie les plus petites erreurs et les lignes semblant égales sur l'original sembleront inégales une fois agrandies.

Pour calculer votre travail selon des dimensions réduites ou supérieures, inscrivez simplement les dimensions que devra avoir l'article une fois terminé sur une feuille de papier à croquis (étape 2), puis tracez une ligne diagonale allant d'un coin à l'autre, en la prolongeant vers l'extérieur pour atteindre les dimensions requises par l'agrandissement. Travaillez dans le sens inverse si vous voulez une réduction. Tracez une ligne verticale vers le haut à partir de n'importe quel point de la base — par exemple, si vous voulez un agrandissement de 50 %, dessinez une ligne sur une longueur égale à une fois et demie la longueur originale. Les proportions du nouveau rectangle sont maintenant parfaites pour un agrandissement de 50 %.

Étape 1. Cinq esquisses d'une affiche annonçant une fête printanière.

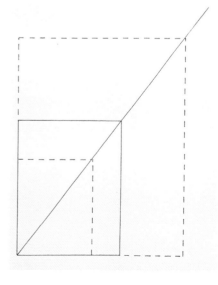

Étape 2. Établir les dimensions de l'affiche à échelle réduite ou supérieure.

Créer des modèles d'affiches

Parmi les cinq esquisses préliminaires de l'affiche annonçant la fête, le modèle b) a été jugé le mieux équilibré et le plus clair. Son titre est en caractères gras et il présente une décoration florale à droite et à gauche des mots. De plus, bien que les mots écrits en diagonale dans la partie inférieure soient faciles à lire, ils ne nuisent aucunement aux inscriptions plus importantes.

Si l'on passe en revue les autres modèles, l'option a) est plutôt simple, sans rien de particulier pour accrocher le regard. De plus, le grand titre, qui traverse le haut de la page, a moins d'impact que les mêmes mots dans les quatre autres exemples. Au bas de l'affiche, la liste de mots apparaissant l'un après l'autre, séparés par des virgules, rend la lecture rapide du texte un peu plus ardue, et le design a quelque chose de statique. L'exemple c) est assez original avec ses détails apparaissant tout autour de l'affiche, mais cela réduit l'espace disponible pour le texte, qui aurait plus d'impact s'il était plus gros. Bien que le modèle d) soit attrayant, les lettres tracées suivant différents angles le rendent un peu trop difficile à lire. Tel que démontré à l'exemple e), une composition de format paysage n'est pas très pratique pour une affiche, parce que la plupart des endroits où vous pourrez l'installer, que ce soit une fenêtre, un arbre ou un panneau d'affichage, conviennent mieux au format portrait.

L'étape 3 montre le croquis du texte, découpé et collé, de notre design favori. Pour donner une touche spéciale aux capitales qui forment les mots « spring fete » (fête du printemps), nous utiliserons une plume Automatic no 3 (voir page 74) pour tracer des capitales romaines. Pour tracer le reste de la description de l'événement, ainsi que pour la date, le lieu et l'heure, nous utiliserons l'écriture fondamentale condensée. Le titre de l'affiche sera également écrit en écriture fondamentale condensée ; assurez-vous que la grosseur des caractères permet de faire entrer toutes les lettres sur une seule ligne. Des capitales romaines largement espacées mettront l'accent sur le lieu de la fête. Les détails au bas de l'affiche seront en italique. Nous utiliserons donc trois différents styles de caractères pour tracer le texte. Mais vous ne devriez pas inclure plus de styles dans cette page, car alors, l'aspect général pourrait être discordant.

Quand vous tracerez les interlignes des mots en diagonale au bas de l'affiche, veillez à ce qu'ils soient bien parallèles en retournant la page pour inscrire les dimensions exactes. Si vous n'avez pas de règle parallèle, tracez la première diagonale selon l'angle désiré, puis tracez les autres lignes en vous fiant sur la première et en vous servant de trois ensembles de points par ligne (étape 4).

Mesurez et tracez vos interlignes et vos marques sur le papier que vous aurez choisi et tracez votre affiche en suivant le brouillon (étape 5).

Étape 3. Le brouillon de l'affiche découpé et collé.

Étape 4. On se sert de trois marques pour tracer les interlignes en diagonale.

Étape 5. Écriture de l'affiche.

Étape 6. L'affiche terminée.

Autres styles d'affiche

D'autres renseignements annonçant une foire artisanale ont été découpés et collés sur une feuille (étape 1). Le titre principal a été tracé en italique avec une plume automatique (étape 2). Les détails concernant le lieu et la liste des activités, au bas de la page, sont en lettres romaines, alors que deux formats d'italique ont servi pour tracer le reste du texte. Souvenez-vous que les petits traits de remplissage sont très utiles pour séparer des blocs de texte. Nous avons ajouté deux petits motifs linéaires très simples pour séparer les informations du centre. L'affiche terminée, illustrée à l'étape 3, montre que le texte a été écrit à l'encre noire sur un carton jaune éclatant.

En général, les imprimeurs offrent une grande gamme de papiers de couleurs pour les affiches, mais si vous désirez un type spécifique de papier — par exemple marbré ou texturé —, vous pouvez acheter celui que vous désirez dans une boutique spécialisée et l'apporter à votre imprimeur. Cependant, dites-vous que cela vaut la peine uniquement si vous pouvez exposer vos affiches de façon à ce qu'on puisse les voir de près. Mais comme nous avons l'habitude de regarder les affiches à une certaine distance, il est souvent inutile de faire tant d'efforts pour choisir un papier texturé aux couleurs subtiles.

Étape 1. Le brouillon, découpé et collé, d'une affiche annonçant une foire artisanale.

Étape 2. Écriture de l'affiche.

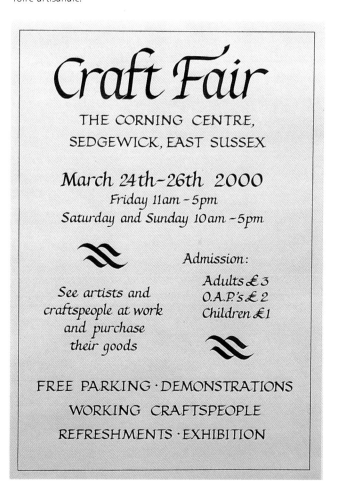

Étape 3. L'affiche terminée.

Affiches et plumes automatiques

Pour les affiches, les lettres devront probablement être tracées plus grosses que d'habitude. Les plumes William Mitchell que nous avons utilisées jusqu'ici commencent à la taille 0, qui produit un trait d'à peine 3 mm de largeur (environ 1/8 po) et une lettre capitale haute d'environ 22 mm (environ 7/ 8 po). Si vous désirez que vos lettres soient plus grosses, vous pouvez acheter un ensemble de plumes pour affiches (fig. 7), auxquelles s'attachent de grands réservoirs pour retenir une plus grande quantité d'encre. Il faudra faire attention de ne pas trop remplir la plume, car elle ferait des

fig. 7. Plumes pour affiches.

pâtés et vous n'obtiendriez pas la netteté des lignes propres à toute bonne calligraphie. Hiro Leonardt fabrique aussi des plumes de plus grand format (fig. 8) dont le réservoir est placé au-dessus et non au-dessous de la plume.

Les plumes automatiques (fig. 9) sont excellentes pour réaliser des affiches, car en plus d'être disponibles en très gros

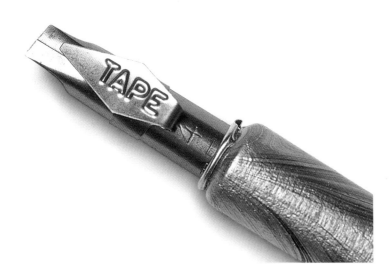

fig. 8. Plume Hiro Leonardt.

formats, elles sont faciles à utiliser. Elles sont faites de deux morceaux de métal taillés se rejoignant sur les bords et d'une série de petites fentes sur un des côtés permettant à l'encre de s'écouler sans problème. Au moment d'écrire, assurez-vous que le côté où se trouvent les fentes vous fait face. Bien que l'on puisse tremper ces plumes dans un encrier, certaines sont si larges qu'il faut les remplir avec un gros pinceau bien imbibé, de manière à transférer l'encre sur toute la largeur du rebord intérieur. (Soyez extrêmement prudent en déplaçant une plume pleine de l'encrier jusqu'à la feuille, quoique si vous tenez la plume dans le bon angle et êtes prêt à écrire, le danger d'en renverser est déjà passé.)

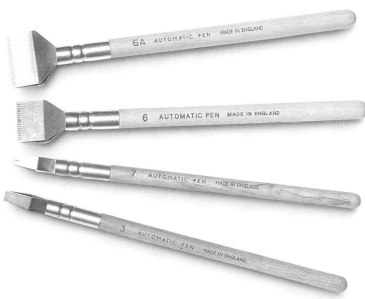

fig. 9. Plumes automatiques.

Pour l'affiche de la foire artisanale, nous avons utilisé pour le titre une plume automatique no 3. La largeur du trait est d'environ 5 mm (1/4 po), ce qui donne aux lettres une hauteur de 25 mm (environ 1 po). La décoration a également été tracée avec une plume no 3.

Écrire des enseignes

Si vous devez travailler à très grande échelle — par exemple, si vous fabriquez une enseigne —, vous avez deux choix de plumes. Pour commencer, vous pourriez fabriquer votre propre plume.

Fabriquer vos plumes d'affiches

1 Nous nous servons ici d'un morceau de tissu absorbant. L'exemple illustre un rectangle de carton entouré d'un petit morceau de coton à son extrémité, retenu en place par des agrafes. Il est assez rigide pour servir à la calligraphie et le tissu absorbe assez bien l'encre pour tracer les lettres.

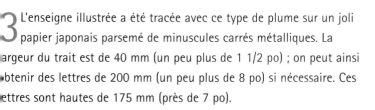

2 Préparez beaucoup d'encre, car l'encre s'épuise très vite quand on trace des grosses lettres avec une plume très absorbante. Remplissez la plume fréquemment pour éviter de créer un effet de pinceau sec.

3 L'enseigne illustrée a été tracée avec ce type de plume sur un joli papier japonais parsemé de minuscules carrés métalliques. La largeur du trait est de 40 mm (un peu plus de 1 1/2 po) ; on peut ainsi obtenir des lettres de 200 mm (un peu plus de 8 po) si nécessaire. Ces lettres sont hautes de 175 mm (près de 7 po).

Fabriquer une plume de liège

2 Coupez ensuite en travers pour en enlever une partie.

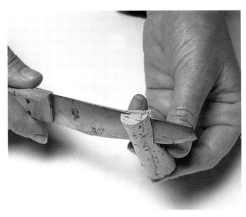

3 Maintenant, taillez la face arrière pour ne conserver qu'un mince rebord de liège.

1 Le liège est un autre bon matériau pour fabriquer une plume et un bouchon de bouteille de vin sera assez long pour réaliser votre projet. Il vous faudra un couteau très coupant pour tailler le liège ; soyez très prudent, car le liège est très caoutchouteux et peut être difficile à couper. Toutefois, la plume de liège terminée sera assez robuste. Commencez en entaillant le bouchon en son milieu, vers le bas.

4 À ce stade, le forme devrait ressembler à ceci.

5 Enlevez des morceaux de chaque côté, de façon à ce que le bout de la plume soit de la largeur désirée, puis réduisez-le à environ 1mm (moins de 1/18 po) d'épaisseur, pour assurer plus de précision à vos lettres.

6 Si le bord d'écriture n'est pas droit, faites une nouvelle coupe vers le bas dans le sens de la longueur. Votre pouvez aussi retailler votre plume si elle s'émousse.

Le mot « raffle » (tombola), à la figure 10, a été tracé avec une plume de liège d'environ 19 mm (3/4 po) de largeur et entre des lignes-guides de 90 mm (environ 3 1/2 po) de hauteur. Il vous faudra un petit godet d'encre pour y tremper votre plume de liège et ainsi transférer l'encre sur toute la longueur de la pointe. Vous devrez tremper votre plume dans le godet à plusieurs reprises — en évitant de laisser couler de l'encre — mais les lettres se tracent quand même assez facilement et avec assez d'exactitude.

Votre seconde option est de tracer des lettres composées, ou des lettres dont les traits individuels sont composés de plus d'une épaisseur de plume. Les lettres composées sont souvent d'abord dessinées, puis tracées et peintes. Très claires et bien définies, les lettres romaines — souvent construites comme les lettres composées — conviennent parfaitement aux enseignes.

Les lettres de l'enseigne illustrée à la figure 11 ont d'abord été dessinées, puis leurs contours ont été soulignés avec une plume automatique no 3 avant d'être remplis au pinceau. Ce procédé donne une belle qualité calligraphique aux lettres, tout en conservant la netteté qui peut être perdue si on se sert de grosses plumes faites à la main.

Enseignes à l'épreuve de l'eau

Si vous avez besoin d'une enseigne à l'épreuve de l'eau, servez-vous de peinture acrylique mélangée avec de l'eau, mais qui devient imperméable une fois sèche. Bien que la peinture soit assez épaisse — ce qui signifie que les lettres ne seront pas aussi nettes que celles peintes à la gouache — à grande échelle on ne remarquera pas vraiment la légère grossièreté des lettres. En fait, l'effet d'ensemble peut être excellent (fig. 12). Si l'enseigne doit être présentée seule, utilisez un passe-partout ; ils se vendent en grandes feuilles et dans une grande gamme de couleurs dans la plupart des boutiques d'art et chez les encadreurs.

fig. 10. Enseigne « raffle » écrite avec une plume de liège.

fig.11. Enseigne « cakes » en lettres romaines.

fig. 12. Enseigne réalisée avec une peinture acrylique à l'épreuve de l'eau.

Plumes automatiques

L'enseigne « tea room », à la figure 13, a été écrite avec une plume automatique numéro 6. Même une plume de cette grosseur peut produire des lettres très nettes. Malheureusement, la quantité d'encre requise par chaque trait nécessite de remplir souvent la plume, même à mi-chemin d'un trait, alors essayez de reprendre la ligne à l'endroit précis de la coupure.

En vous servant d'encres ou de peintures légèrement transparentes, vous pourriez produire un effet de clair-obscur là où il y a arrêt et reprise, comme l'illustrent les lettres de la figure 14. Afin de réduire les risques que cela se produise, il est préférable de s'en tenir au noir ou aux couleurs très foncées.

Une plume automatique de grosseur 6 produit un trait de 19 mm (environ 1/2 po) de largeur. Ainsi, les lettres capitales écrites suivant la hauteur habituelle de sept becs de plume auront 133 mm (environ 5 1/2 po) de hauteur. Rappelez-vous que les lettres sur les affiches ont tendance à paraître mieux si elles sont un peu plus trapues que les lettres de format normal. Nous avons donc utilisé une hauteur de six becs pour cette enseigne et les lettres sont mieux proportionnées.

L'enseigne « exit », à la figure 15, a été écrite avec une plume automatique 6a, dont le bec fait environ 25 mm (1 po) de largeur. Les lettres sont hautes de 150 mm (près de 6 po), ce qui donne une assez grande enseigne : celle-ci mesure 210 x 750 mm (8 1/2 x 29 1/2 po). Bien que la netteté des contours des lettres commence à diminuer avec cette grosseur de plume, elle ne diminue pas assez pour gâcher le tout lorsqu'on le regarde à une certaine distance.

fig.13. Enseigne « tea room » tracée avec une plume automatique numéro 6.

fig.14. Lettres transparentes produites avec une encre trop claire.

fig.15. Enseigne « exit » réalisée avec une plume automatique 6a.

St. Stephens, Barwich

Monies contributed and collected out of the parish of St. Stephens in Barwich, towards the releife of our afflicted bretherin in Ireland:-

Mr. Samuel Dickson	ten shillings	
Mr. Thos Cobb	seven shillings	six pence
Mres. Newman	ten shillings	
Daniel Hopper	five shillings	
Goodwife Hargreave	one shillinge	
Edward Morris	three shillings	
Richard Morris	sixe shillings	
John Williamson	eight shillings	
Joseph Austin	three shillings	
Nic: Eckleston	foure shillings	
Will: Potterton	one shillinge	
James Shaw	two shillings	sixe pence
Goodwife Shaw	one shillinge	
Edm. Carter	one shillinge	
John Carter	one shillinge	
Sarah Carter		six pence
Hen: Cunningham	one shillinge	
John Walker		eight pence
Margaret Thomson		sixe pence
William Smith		six pence
Walter Palmer		six pence
Edw: Salter		six pence
Jeremiah Whitlock		six pence

L'écriture gothique anguleuse

7

L'écriture gothique anguleuse

Nous introduisons maintenant un style plus décoratif : l'écriture gothique anguleuse. Les styles gothiques sont anguleux et les prochains chapitres parleront de la bien connue Black Letter — la plus anguleuse de toutes.

Le style gothique anguleux se situe à mi-chemin entre les styles d'écritures vus jusqu'ici et l'écriture Black Letter. Son alphabet, très attrayant, est fondé sur le « o » pointu (fig. 1), qui présente des pointes prononcées à la croisée des traits du sommet et de la base. Chaque moitié de la lettre doit sembler être l'inverse de l'autre et la courbe est exactement la même des deux côtés.

La figure 2 présente tout l'alphabet. Une courbe d'angle identique à celui du « o » est requise pour former toutes les lettres arrondies, alors exercez-vous à tracer les « a », « b », « d », « e » et « o » en même temps et ainsi apprendre leur forme correcte. Bien que le « q » comprenne un trait arrondi et un trait droit, le petit trait qui joint la première courbe au trait droit débute comme s'il s'agissait d'un autre arrondi complet. Le « p » comprend une barre transversale qui relie en arc le trait droit au trait arrondi. Le même type de barre est utilisé pour former le « s » (fig. 3), le trait oblique du milieu est le même que dans un « s » régulier, mais on ajoute ensuite les barres en arc du sommet et de la base. Le « c » et le « r » utilisent la barre en arc à leur sommet et la même barre apparaît aussi à la base du « j ».

Portez une attention particulière aux queues du « g » et du « y » (fig. 4), où un trait oblique très étroit relie le corps de la lettre au trait final descendant et à la queue. Parce qu'il comporte un trait ascendant oblique, vous devrez aussi vous concentrer sur le « d » (fig. 5) ; il faut un peu de pratique pour tracer la courbe supérieure correctement de façon à la relier au bon endroit, sur la partie basse de la lettre. Voici une stratégie qui vous aidera à former correctement la première partie de la lettre : imaginez que vous vous préparez à tracer un simple « o », puis ajoutez la portion additionnelle du sommet après coup.

La plupart des lettres normalement écrites avec plus d'un trait vertical, soient « h », « m », « n », « v » et « w », ont un trait incurvé après le premier trait vertical. Exercez-vous à tracer ces lettres au même moment pour vous habituer à former ce trait.

Les empattements de cet alphabet ne sont pas très prononcés et ceux de tous les traits verticaux ont une très légère

fig.1. Le « o » en pointe, sur lequel est fondée l'écriture gothique anguleuse.

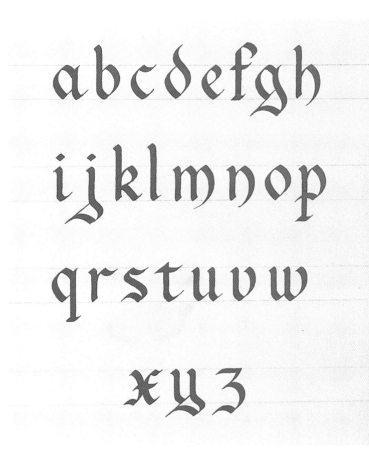

fig.2. Alphabet gothique anguleux.

fig.3. Construction de lettres avec barres transversales en forme d'arc.

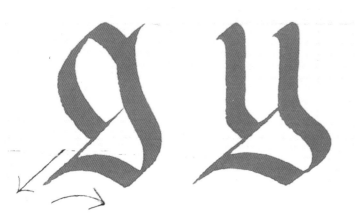

fig.4 Construction du « g » et du « y ».

fig.5. Construction du « d ».

courbe à droite, au début de la lettre. La base du « p » et du « q » comporte aussi un petit empattement horizontal.

Les capitales de cette écriture sont illustrées à la figure 6. Les lettres qui diffèrent le plus de celles que nous avons déjà utilisées sont le « E » et le « T », dont la partie principale est formée d'un trait arrondi. Bien que le trait supérieur du « E » soit en forme d'arc, le « T » présente un trait horizontal droit. Notez que le « N » comporte un second trait arrondi.

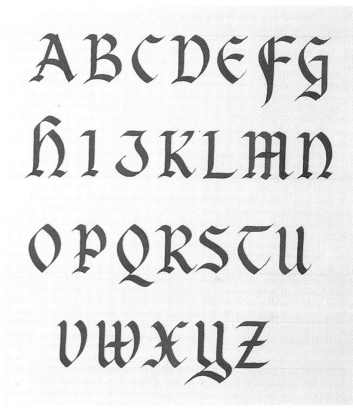

fig. 6. Capitales gothiques anguleuses.

Documents historiques

Etant donné son aspect ancien, ce style conviendra à tout document auquel vous voudriez donner une apparence vieillotte, comme en fait foi la transcription du document historique illustré à l'étape 1. Dans les styles d'écriture plus élaborés, il importe de bien réfléchir lorsque vous combinez différents styles et formats de caractères, parce que certains d'entre eux ne vont pas très bien ensemble.

Pour ce projet, nous avons choisi un attrayant papier à effet vélin, appelé Éléphanthide, disponible en deux épaisseurs et deux couleurs. En général, un papier qui a un certain poids conviendra mieux à la calligraphie qu'un papier plus léger, parce qu'il sera moins enclin à onduler une fois mouillé ; de plus, il vous sera plus facile de corriger vos erreurs.

Le document liste les donateurs d'une collecte spéciale pour l'érection d'une église, en 1641. Pour tracer le titre, qui sera la partie la plus apparente du texte, on a utilisé des lettres gothiques anguleuses rouges. Étant donné que les capitales de la plupart des styles gothiques sont assez difficiles à lire lorsque regroupées, il est préférable de se servir de lettres grand format et d'une combinaison de haut de casse et de bas de casse plutôt que d'opter pour un titre formé uniquement de capitales. Cette écriture a été tracée avec une plume Mitchell numéro 1.

La description de la collecte a été écrite en lettres gothiques anguleuses avec une plume Mitchell numéro 3. Les plus petits détails, qui apparaissent sur deux colonnes, sont écrits en écriture fondamentale condensée. (Sur un document, il est préférable de choisir un des styles les plus lisibles pour écrire tous les petits détails, comme dans l'exemple ci-contre.) Nous avons utilisé une plume numéro 4.

Mesurez et tracez les lignes-guides et les marques sur le papier que vous aurez choisi et écrivez le document (étape 2).

St. Stephens, Barwich

Monies contributed and collected out of the parish of St. Stephens in Barwich, towards the releife of our afflicted bretherin in Ireland:-

Mr: Samuel Dickson	ten shillings	
Mr: Thos Cobb	seven shillings	six pence
Mres. Newman	ten shillings	
Daniel Hopper	five shillings	
Goodwife Hargreave	one shillinge	
Edward Morris	three shillings	
Richard Morris	sixe shillings	
John Williamson	eight shillings	
Joseph Austin	three shillings	
Nic: Eckleston	foure shillings	
Will: Potterton	one shillinge	
James Shaw	two shillings	sixe pence
Goodwife Shaw	one shillinge	
Edm. Carter	one shillinge	
John Carter	one shillinge	
Sarah Carter		six pence
Hen: Cunningham	one shillinge	
John Walker		eight pence
Margaret Thomson		sixe pence
William Smith		six pence
Walter Palmer		six pence
Edw: Salter		six pence
Jeremiah Whitlock		six pence

Étape 1. Le texte requis ; il faut trois formats de caractères.

Étape 2. Écrivez le texte, puis effacez les lignes-guides.

Complétez le document

Pour compléter le document, il suffit de l'entourer d'un simple nœud de ruban que vous attacherez comme suit. D'abord, repliez le bord inférieur du papier vers le haut, de manière à doubler ou tripler son épaisseur. Ensuite, en vous servant d'un couteau bien affûté et d'une règle, pratiquez deux fentes traversant toutes les épaisseurs du papier (étape 1). Les fentes doivent être parallèles l'une à l'autre, à environ 2 cm (3/4 po) de distance et à peine plus larges que la largeur du ruban de votre choix. Pensez à ne pas faire les fentes trop près l'une de l'autre ou trop près du bord de la page, sinon le papier pourrait se déchirer quand vous attacherez le ruban.

Passez le ruban dans les fentes (étape 2). Si le papier est d'une bonne épaisseur et que les fentes sont assez larges, vous devriez être capable de tirer doucement le ruban dans les fentes sans endommager le papier et d'attacher le ruban fermement. Coupez maintenant les extrémités du ruban pour obtenir une belle finition (étape 3).

Le document peut maintenant être roulé à partir du haut, et les extrémités du ruban attachées au centre (étape 4).

Étape 1. Pratiquez deux fentes à peine plus larges que le ruban, en traversant toutes les épaisseurs.

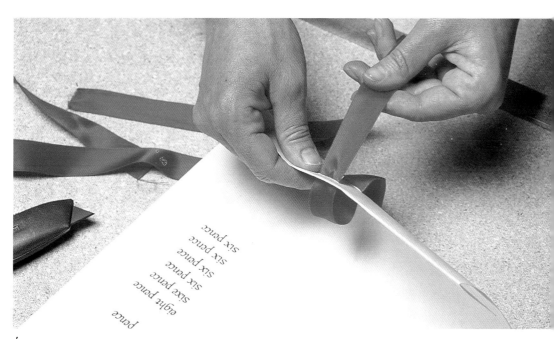

Étape 2. Passez le ruban dans les fentes.

Étape 3. Coupez les extrémités du ruban pour une belle finition, si nécessaire.

Étape 4. Le document peut être roulé et attaché.

Supprimer les erreurs

Parce qu'il est si facile de se laisser distraire et de mal tracer une lettre, vous ferez souvent des erreurs quand vous tracerez une grande quantité de lettres. Si vous vous servez d'un papier de bonne qualité, vous devriez être capable de supprimer l'erreur et de réécrire le même mot correctement, en laissant peu ou pas de traces de la correction effectuée.

De nombreux outils peuvent servir à supprimer les erreurs (fig. 7). Nous parlerons de ce sujet en détails, parce que plus vos compétences calligraphiques augmenteront, plus les pièces sur lesquelles vous travaillerez seront complexes. Si vous ne supprimez aucune de vos erreurs, vous devrez abandonner puis réécrire une pièce compliquée sur laquelle vous aurez déjà passé beaucoup de temps.

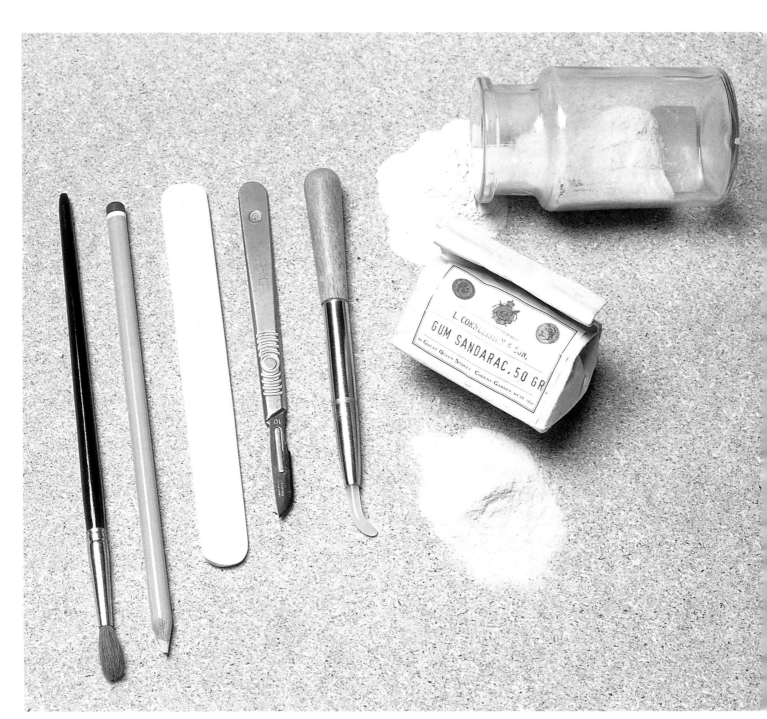

fig.7. Outils pour supprimer les erreurs – I – de la droite vers la gauche : pinceau doux, crayon-gomme, plioir en os, scalpel, brunissoir, sandaraque (gomme de genévrier), poudre à poncer.

Supprimer les erreurs avec une gomme à effacer

Un crayon-gomme, ou une gomme à effacer en caoutchouc dur et blanc est l'outil le plus utile pour supprimer les erreurs, parce qu'il permet d'apporter des corrections sur de très petites surfaces sans trop intervenir sur le reste des lettres ou du papier. Le caoutchouc est en général assez dur, alors il est prudent de l'essayer sur un morceau de papier brouillon pour voir combien il est nécessaire de frotter pour supprimer les erreurs. Notez que bien qu'il soit facile d'abîmer le papier — surtout un papier tendre comme le papier-cartouche — vous devriez pouvoir frotter assez fort les papiers plus épais et de meilleure qualité sans causer de dommages irréparables. Quand vous aurez supprimé toutes les erreurs (étape 1), enlevez soigneusement toutes particules de gomme et de poussière de papier restées sur le papier.

Vous devrez maintenant lisser la surface du papier avec un plioir en os (un brunissoir peut faire l'affaire). Il s'agit d'un petit morceau d'os plat aux deux extrémités arrondies ou avec une extrémité ronde et l'autre pointue ; on l'utilise surtout en reliure pour aplatir et plier les pages avec précision. Comme vous aurez besoin d'un plioir en os à diverses occasions, vous trouverez que c'est un outil peu coûteux et fort utile, et vous pouvez-vous en procurer un dans une boutique d'art ou de papier. Si votre plioir en os a un bout rond et un bout pointu, servez-vous du bout rond pour frotter en appuyant doucement sur la surface du papier (étape 2). En vous exerçant sur un papier brouillon, vous saurez quel genre de pression vous pouvez appliquer avant que les fibres ne deviennent trop abîmées et qu'une marque indésirable apparaisse sur le papier.

Essayez d'écrire par-dessus la partie corrigée pour voir si vous pouvez réussir à tracer les nouvelles lettres, ou si la surface devenue trop rugueuse cause des problèmes ou que l'encre s'étend. Si la surface est trop rugueuse, brunissez-la un peu. Si l'encre a tendance à s'étendre, essayez de frotter doucement la surface avec un peu de poudre à poncer ou de sandaraque (gomme de genévrier), ce qui devrait retenir l'encre en place (étape 3). La poudre à poncer et la sandaraque, de même qu'un mélange des deux, appelé « poncette », sont disponibles dans le commerce. Bien que ces poudres soient faites spécialement pour préparer la surface des peaux de vélin pour l'écriture, on peut aussi s'en servir sur le papier. Époussetez légèrement la région avec un peu de poudre, puis frottez doucement avec un linge propre et d'un mouvement léger et circulaire pour faire pénétrer la poudre. Enfin, balayez tout excès de poudre pour éviter de boucher votre plume. Tracez maintenant des lettres correctes (étape 4).

Vous ne devriez voir aucune marque sur le papier. On doit avoir l'impression qu'aucune erreur n'a été commise (étape 5).

Étape 1. Supprimez les lettres incorrectes avec un crayon-gomme.

Étape 2. Servez-vous d'un brunissoir ou d'un plioir en os pour lisser à nouveau la surface rugueuse.

Étape 3. Si nécessaire, frottez un peu de « poncette » sur la surface.

Étape 4. Tracez minutieusement les lettres correctes.

Étape 5. Effacez les lignes-guides.

Supprimer les erreurs avec un couteau

Une autre méthode pour supprimer les erreurs consiste à gratter les lettres incorrectes avec un scalpel ou un cutter. (Ces couteaux sont disponibles dans la plupart des boutiques d'art et vous pouvez acheter des lames de rechange à bas prix.) Rappelez-vous que vous devez y aller très doucement avec ces outils pour ne pas endommager la surface d'écriture (étape 1). Comme certains vélins sont très épais et que l'on peut enlever une bonne partie de la peau de surface avant de causer quelques dommages, cette méthode est particulièrement utile lorsque vous travaillez sur vélin. Une fois que vous avez enlevé toutes les erreurs, brunissez le vélin à plat pour pouvoir écrire dessus à nouveau (étape 2). Tracez maintenant les lettres correctes (étape 3).

Si votre papier est très mince et que vous pouvez voir que l'encre en a traversé toute l'épaisseur lorsque vous le retournez, il n'est pas question d'essayer de supprimer l'erreur. Si vous le faites, vous serez aux prises avec un trou. Dans ce cas, vous n'avez pas d'autre choix que de recommencer à zéro. Bien que vous puissiez essayer de masquer vos erreurs avec un liquide-masquant de la couleur de votre papier, cette façon de faire est toujours disgracieuse, car vos erreurs seront évidentes, surtout parce que toutes les lettres tracées par-dessus un espace peint sont en général de piètre qualité (l'encre a tendance à s'étendre sur toute surface peinte). La meilleure façon d'éviter ce problème est d'utiliser un papier de bonne qualité fabriqué pour faire face à ce genre de problèmes.

Les couleurs et les motifs de certains des papiers les plus décoratifs sont parfois de surface, de sorte que si vous enlevez la couche du dessus, vous trouvez en dessous une couleur différente : en général, le blanc.

Si cela se produit, il faut essayer de restaurer le pigment perdu.

Pour commencer, frottez un peu de pigment semblable à la couleur du papier sur la partie décolorée, avant d'en balayer le résidu. Bien que l'on trouve des pigments en poudre, il est beaucoup plus facile de se servir d'un crayon de couleur de bonne qualité (étape 4), par exemple un crayon Prismacolor (Derwent). Les crayons Prismacolor, vendus dans la plupart des boutiques d'art, sont disponibles dans une très grande gamme de couleurs, dont toute une sélection de beiges pâles et de bruns fort utiles sur les papiers de couleur crème pâle. Ce sont des crayons doux et si vous vous en servez très délicatement et que vous frottez ensuite l'endroit avec un linge doux (étape 5) pour étendre le pigment, vous devriez réussir à masquer la retouche, visible uniquement si on y regarde de très près.

Étape 1. Servez-vous d'un scalpel bien aiguisé ou d'un cutter pour supprimer les lettres incorrectes.

Étape 2. Lissez à nouveau la surface avec un brunisseur.

Étape 3. Tracez les lettres correctes.

Étape 4. Si, comme dans l'exemple, la pigment du papier a été enlevé après frottement des lignes d'écriture, servez-vous d'un crayon de la bonne teinte pour refaire le pigment, puis d'un linge doux pour faire pénétrer le pigment dans le papier.

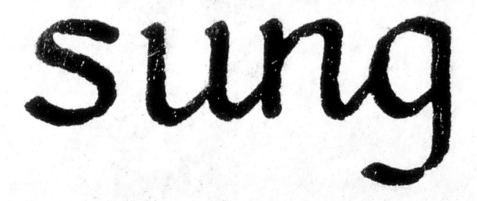

Étape 5. Le mot corrigé.

Concevoir un arbre généalogique

Un arbre généalogique écrit à la main peut être un document très intéressant à accrocher au mur. Si vous avez retracé l'histoire de votre famille, vous pourriez fabriquer un tableau indiquant les noms d'autant de membres de la famille et d'ancêtres que vous le désirez. Vous pourriez aussi inclure quelques images intéressantes, par exemple celles d'endroits ayant un lien familial ou professionnel avec certaines des personnes nommées.

L'étape 1 montre le texte d'un arbre généalogique simple de quatre générations, qui devrait correspondre à ce que la plupart des gens peuvent recueillir comme renseignements en interrogeant leurs grands-parents.

Commencez en esquissant vos renseignements sous la forme d'un diagramme hiérarchique (étape 2) ; cela vous permettra de voir la forme générale de votre arbre. On crée ce genre de diagramme en plaçant les noms d'un couple marié côte à côte, avec un signe égal (=) entre les deux pour indiquer qu'ils sont mariés. Le nom de l'époux est normalement placé à gauche et celui de l'épouse à droite, mais vous n'êtes pas obligé de respecter strictement ces conventions et pouvez faire l'inverse. La date et le lieu du mariage sont écrits au-dessous, en général en plus petites lettres.

Dessinez une ligne verticale descendante à partir du signe égal (=). Ensuite, placez les noms des enfants issus du mariage à l'horizontale, selon l'âge, le plus vieux à gauche et le plus jeune à droite (étape 3).

Comme il n'y a pas de signe « = » dans le cas d'enfants issus d'une famille monoparentale, la ligne sera tirée à la verticale à partir du centre des renseignements donnés sur le parent unique (étape 4). Les noms des partenaires non mariés peuvent être écrits avec un signe plus (+) entre les deux, pour les différencier des couples mariés. On peut aussi tracer une ligne verticale à partir du signe plus (étape 5). Avec la complexité toujours grandissante des

Family Tree of Andrew and Sarah Grey

Andrew Grey, born 15.2 1936, married 24.9. 1965 Catherine Parker, born 12.1.1938, parents of:
1) Michael Grey, born 4.4.1967, married 5.8.1995 Sarah Cornish, born 15.9.1970
2) Steven Grey, born 3.11.1969
3) Cara Elizabeth Grey, born 27.2.1971

John Michael Grey, born 1.12.1909, married 7.5.1931, Elizabeth Walters, born 17.9.1910, parents of:
1) William Grey, born 9.6.1932, married 6.9.1959 Jane Daniels, born 2.11.1936, they have one child - Ann Lisa Grey, born 4.12.1963
2) Roger Grey, born 7.4.1934
3) Andrew Grey

Henry Grey, born 17.9.1883, married 5.8. 1905 Mary Carter, born 6.7.1884, parents of:
1) Sidney Grey, born 27.8.1907
2) John Michael Grey

James Parker, born 2.7.1913, married 16.9.1937 Mary Latham, born 24.5.1913, parents of:
1) Catherine Parker
2) Edith Parker, born 2.11.1939, married 14.5.1963 John Williams, born 1.4.1938
3) John Parker, born 5.3.1942

James Parker, born 29.5.1880, married 2.7.1906 Louisa Bellman, born 6.9.1883, parents of:
1) James Parker
2) Doreen Parker, born 18.2.1915
3) Edward Parker, born 6.8.1918

Étape 1. Le texte pour une généalogie de quatre générations.

relations familiales et la diversité des combinaisons de parents biologiques, de beaux-parents et de parents adoptifs, les arbres généalogiques deviendront inévitablement de plus en plus difficiles à organiser de façon claire. Toutefois, rappelez-vous que votre objectif principal est de créer un tableau attrayant et utilisez dès lors les moyens qui peuvent transmettre les renseignements recueillis. Du moment que vous veillez à ce que votre document soit lisible et sans ambiguïté, tout design sera acceptable.

Écrivez les noms de chaque personne en lettres de grandes tailles (notre exemple a été réalisé avec une plume numéro 4), puis inscrivez les détails biologiques en dessous avec une plume plus petite, telle la numéro 5 (étape 6). Comme ils ne servent qu'à guider la fabrication de la pièce finale, il importe peu que les plus petits détails soient parfaitement centrés sous le nom.

Tracez sur une grande feuille de papier le nombre de lignes requis par les générations qui apparaîtront sur le tableau (étape 7).

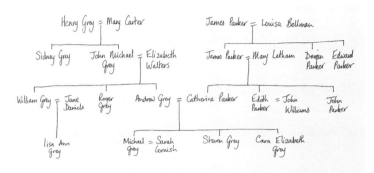

Étape 2. Esquissez un brouillon rapide de votre généalogie sous forme de diagramme.

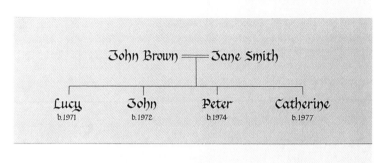

Étape 3. La disposition d'un diagramme généalogique.

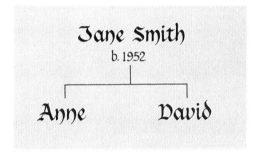

Étape 4. Dans le cas d'un parent unique, tracez une ligne verticale centrée sous le nom du parent.

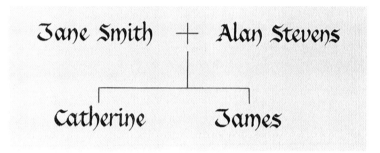

Étape 5. Un signe d'addition peut servir à réunir des conjoints non mariés.

Étape 6. Écrivez chaque nom sur un papier à esquisse et ajoutez les détails biographiques sous chacun d'eux, en essayant de centrer l'information.

Étape 7. Tracez les lignes requises par le nombre de générations à inscrire sur la feuille à esquisse.

Concevoir un arbre généalogique (suite)

Maintenant, coupez et collez les noms et disposez-les de façon à former la meilleure présentation possible (étape 8), plaçant chaque nom à sa place sous la génération précédente. Un espace d'environ 1 cm (1/2 po) entre les générations devrait suffire et permettre la construction de liens.

Une fois tous les noms en bonne position, reliez les noms des époux et des épouses avec le signe égal. Tracez ensuite une ligne au crayon sous chaque couple de parents jusqu'à la ligne de la génération suivante (étape 9). Si les noms des enfants ne sont pas immédiatement sous ceux de leurs parents, la ligne devra s'arrêter près de la ligne du dessous — à environ 5 mm (1/4 po) — de sorte que la ligne horizontale puisse être tracée vers la gauche ou vers la droite et réunir le bon groupe d'enfants.

En vous servant des lignes générationnelles horizontales, reliez les noms de chaque groupe de frères et sœurs en traçant au-dessus une ligne plus épaisse au crayon, puis en traçant une petite ligne — environ 5 mm (1/4 po) — de la ligne horizontale jusqu'au nom de chaque enfant (étape 10). Si la ligne qui descend des parents n'a pas encore été reliée à la ligne horizontale, raccordez-la. Répétez le même processus dans tout le tableau jusqu'à ce que tout le réseau familial ait été relié correctement.

Ajoutez un titre aux lettres de taille convenable, que vous centrerez au haut de la page. Vous pouvez voir le brouillon terminé à l'étape 11. Écrivez le texte (étape 12), en commençant par les plus gros caractères. Tracez minutieusement les lignes-guides et servez-vous des brouillons que vous avez faits pour déterminer l'espace entre chaque nom, mesurant et marquant la longueur de chaque groupe de mots sur la page.

Tracez les plus petites lettres de la même manière. Il n'est peut-être pas nécessaire de marquer la longueur requise par tous les détails, car le nom peut souvent servir de guide pour noter en quel endroit les plus petits détails qui s'inscrivent sous eux commencent et finissent. Ajoutez maintenant le titre. Tracez les lignes pour former la structure reliant les noms en vous servant d'un tire-ligne et d'une couleur de gouache contrastante. Supprimez les lignes-guides.

Étape 8. Ajoutez les noms dans le bon ordre sur la feuille brouillon.

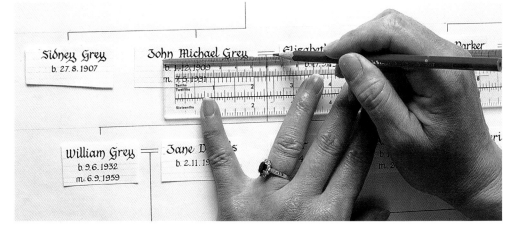

Étape 9. Reliez les époux et les épouses et rattachez-les à leurs enfants.

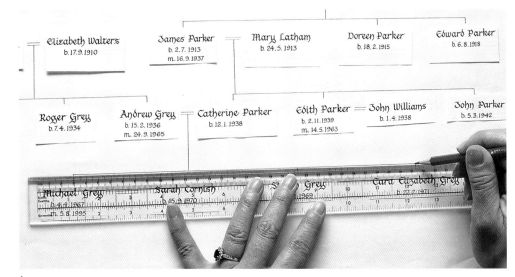

Étape 10. Tracez les lignes qui relient les groupes de frères et sœurs.

Étape 11. Brouillon terminé.

Étape 12. Commencez à tracer vos lettres.

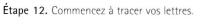

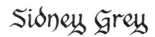

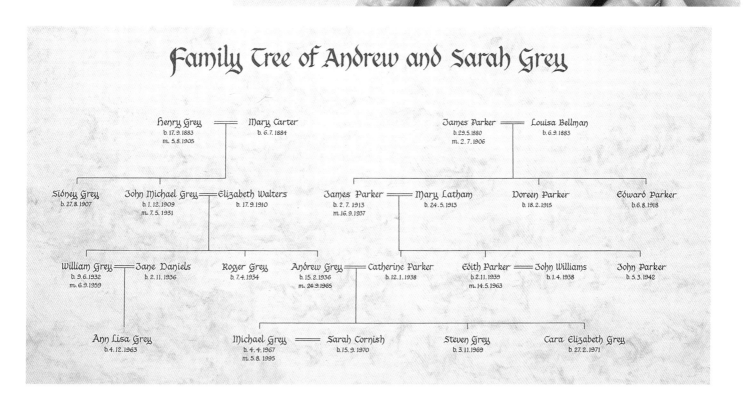

Grands arbres généalogiques

Un arbre généalogique plus important et illustré apparaît à la figure 8. Bien que les étapes de réalisation de cet arbre soient exactement les mêmes que celles du projet précédent, rappelez-vous que certaines grandes familles peuvent exiger des arbres plus grands et que ceux-ci devront être réduits autant que possible de manière à pouvoir entrer sur une page de proportions raisonnables. Pour faciliter le processus de réduction, les noms des couples seront disposés en blocs verticaux, la ligne menant

à la génération suivante tracée directement sous les noms des deux conjoints (fig. 9).

Essayez de garder chaque génération sur une ligne distincte, ce qui rendra le diagramme beaucoup plus facile à lire. Il peut parfois sembler logique de faire entrer une petite famille entre des générations pour simplifier le design, mais si vous faites cela trop souvent, ce sera au détriment de la clarté des liens entre une génération et une autre. Si vous devez faire des liens qui se croisent, tracez un petit pont (fig. 10) pour que l'on sache bien dans quelle direction va chaque ligne.

fig.8. Un grand arbre généalogique illustré.

fig.9. Détail d'un bloc de texte vertical.

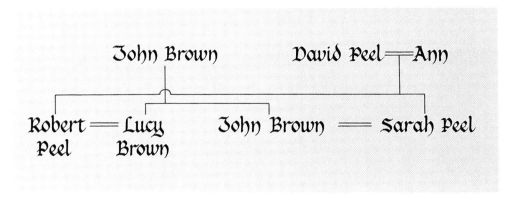

fig.10. On peut se servir de ponts lorsque des lignes se croisent afin d'éviter la confusion.

Rock Buns

4. Cream
ft. Add
ntil light
flour in very
ss mixture
20 minutes.
r sugar

40z self-raising flour
20z butter
20z sugar
1 egg
20z dried fruit

Rub fat into flour then add sugar and half of the egg then the dried fruit. Mix all together and place in spoonfuls on a greased baking tray. Cook for 15 minute in oven at Reg. 4.

Black letter 8

Black letter

La Black Letter – un autre style d'écriture gothique datant du Moyen Âge – tire son nom de la densité de ses traits ascendants, des espacements réduits entre les lettres et ses lignes d'écriture, toutes choses qui lui donnent une apparence plus dense sur la page que les styles plus ouverts qui l'ont précédé. Ce type de lettres se retrouvait dans plusieurs des magnifiques livres décorés et enluminés de la période médiévale. Bien qu'on l'ait aussi utilisé dans certains des premiers livres imprimés, il a vite cédé la place à des styles à la fois plus faciles à lire et plus pratiques à utiliser pour l'imprimeur.

fig.1. Traits d'exercice pour le style Black Letter.

Débutez l'apprentissage de ce style en vous exerçant à tracer les traits illustrés à la figure 1. Comme il n'y a pas beaucoup de traits arrondis dans l'écriture Black Letter, elle convient aux calligraphes qui ont de la difficulté à tracer des traits arrondis uniformes. Encore faut-il porter une grande attention aux espacements, pour éviter que les lettres soient laides.

Les lettres minuscules sont illustrées par la figure 2. Examinez bien la construction de ces lettres et notez que les traits ascendants présentent de nombreuses terminaisons, que chaque trait a une barre oblique attachée au début et à la fin et que celle-ci est de trois différentes longueurs (fig. 3). Comme pour les autres alphabets, le « m » (fig. 4) est un bon exemple, car il utilise ces trois traits. Le premier et le dernier trait sont de courtes obliques entrant ou sortant du trait vertical (fig. 3). Le trait inférieur de chacune des deux premières verticales doit correspondre au petit trait centré illustré à la fig. 3(b). Si vous n'utilisez pas ce trait, vous boucherez les espaces entre les verticales et la lettre sera difficile à lire. Les deux traits supérieurs reliant les trois verticales sont des obliques légèrement plus longues qui sortent ou entrent dans la verticale (fig. 3[c]). Si vous faites bien attention au moment de former ces traits, le style sera uniforme et bien équilibré.

La lettre « a » débute par un long trait croisé et un léger angle au sommet ; le trait descend ensuite jusqu'à l'empatte-ment final. Un mince trait oblique est nécessaire dans la partie du milieu de la lettre pour relier le trait de la base à l'empatte-ment inférieur. Pour terminer la lettre, tracez une ligne ayant la finesse d'un cheveu ; il servira de lien entre le sommet et le centre de la lettre, tel qu'illustré à la figure 5. Pour faire ce trait, servez-vous du coin de la plume, ce qui devrait donner une courbe naturelle entre une partie de la lettre et une autre.

Le sommet du « d » devrait être fait avec minutie et se terminer au bon endroit pour que le deuxième trait vertical soit à la bonne distance du premier. Le « e » est une autre lettre qui inclut un lien sous la forme d'une petite ligne oblique très fine, placée cette fois-ci entre le trait supérieur et le premier trait vertical. Une courte ligne horizontale peut parfois partir de ce trait pour aller vers la droite, tel qu'illustré à la figure 6 ; ou encore le trait peut aussi être une ligne oblique suivant la direction du trait supérieur.

Le « g », le « j » et le « y » sont toutes formées de la même manière, leurs queues étant reliées au reste de la lettre au moyen d'un trait fin. Le trait central de la base du « j » débute où la verticale commence à s'incliner vers la droite, à niveau avec la ligne de base.

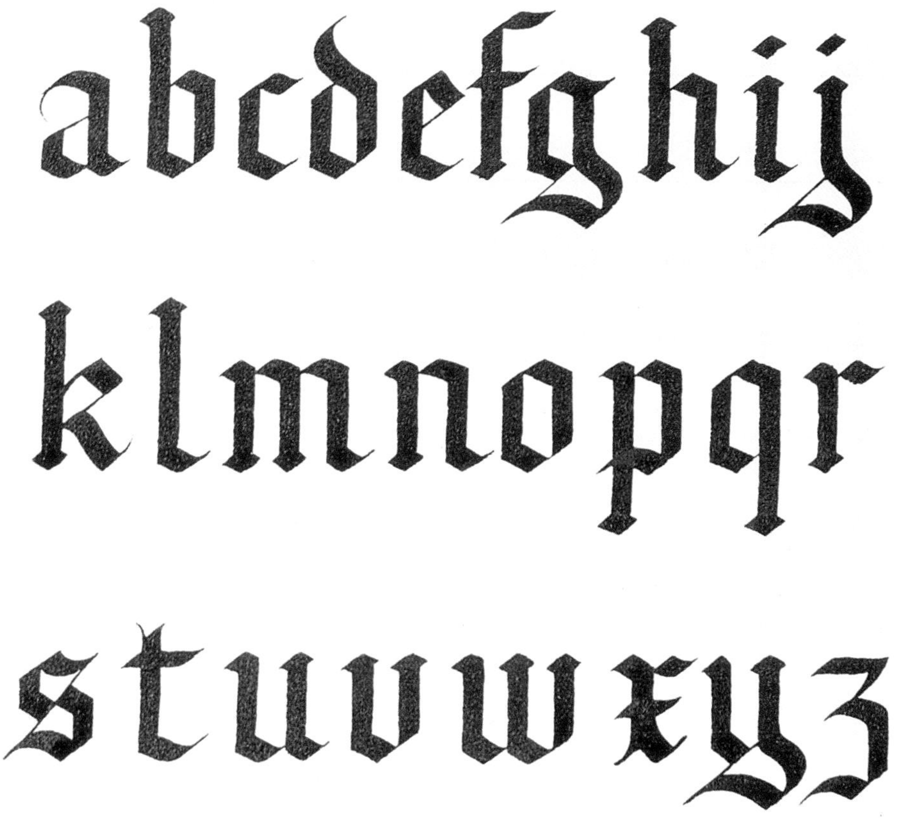

abcdefghij

klmnopqr

stuvwxyz

fig.2. Alphabet minuscule Black Letter.

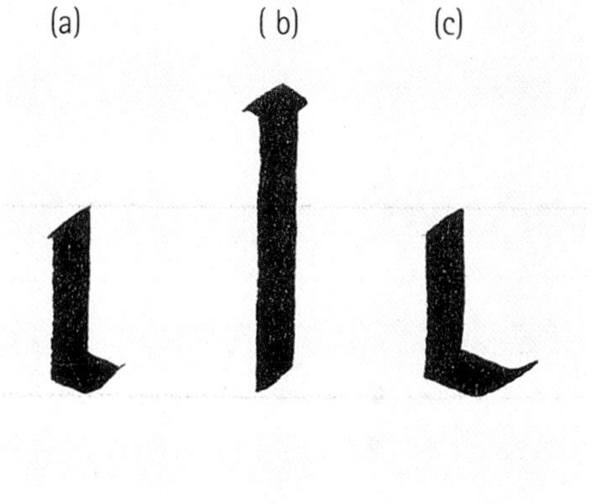

(a)　　(b)　　(c)

fig.3. Terminaisons des traits ascendants.

fig.4. La Black Letter « m » contient les trois différentes terminaisons des traits ascendants.

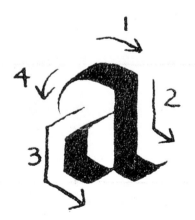

fig.5. Formation de la lettre « a ».

fig.6. Lettre « e ».

Le « s » est assez difficile à produire, parce qu'on le trace en changeant plusieurs fois la direction de la plume (fig. 7). Les principaux traits sont sectionnés en deux par une fine ligne oblique centrale qui laisse deux minuscules espaces de chaque côté du trait du milieu. Vous devrez ajuster très légèrement votre plume au moment de tracer ce trait. Le « x », qui se forme tel qu'illustré à la figure 8, possède deux traits centraux qui se chevauchent.

Comme les lettres sont tracées assez près l'une de l'autre, et que plusieurs des traits sont semblables, ce style peut se révéler difficile à lire. Toutefois, quelques lettres ont des variantes (dont certaines apparaissent à la fig. 9) dont l'usage rendra l'écriture plus facile à lire et plus décorative. Par exemple, on conférera plus de caractère au trait final de certaines lettres, telles le « h », le « n » et le « m », en le prolongeant à son extrémité d'un trait arrondi, brisant du coup la monotonie d'une longue suite de verticales (fig. 10). On peut aussi ajouter des courbes semblables au sommet des lettres « v » et « w ». Vous trouverez des exemples de tous ces traits dans les manuscrits médiévaux. On peut également ajouter un petit trait horizontal au centre du « w » et du « m » pour les rendre plus lisibles. Les lettres capitales de l'alphabet Black Letter sont parmi les plus décoratives

de toutes les écritures calligraphiques, tout en étant très complexes (fig. 11). Il existe plusieurs versions de certaines lettres. En fait, vous pouvez même les embellir davantage avec des traits additionnels, suivant votre bon vouloir. Presque toutes ont un mince trait vertical jouxtant un trait principal. De manière à réussir le trait le plus mince possible, vous devrez tourner votre plume complètement de côté (fig. 12). Un petit trait additionnel est souvent placé dans les lettres plus ouvertes (fig. 13). Cependant, comme ces lettres sont très décoratives, les mots écrits uniquement en capitales sont très difficiles à lire et ont tendance à paraître exagérément surchargés. Si vous vous servez de l'écriture Black Letter dans les titres, il est de loin préférable de combiner les hauts de casse et les bas de casse, et de faire en sorte que le changement de format de lettres soit le trait dominant (fig. 14).

On peut donner aux hampes et aux hastes du style Black Letter un fini très attrayant au moyen d'empattements en queues de poisson — ou « fraktur » — illustrés par la figure 15. Ce type d'empattement est réalisé avec des traits de la finesse d'un cheveu, tels qu'utilisés dans la formation des italiques cursives. Il est produit en donnant du coin de la plume un petit coup sec vers l'extérieur (fig. 16).

fig.7. La lettre « s ».

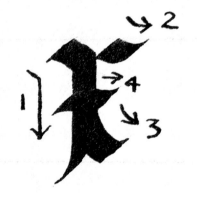

fig.8. La lettre « x ».

fig.10. On se servira de lettres embellies pour améliorer la lisibilité d'une longue suite de traits verticaux.

fig.9. Choix de lettres.

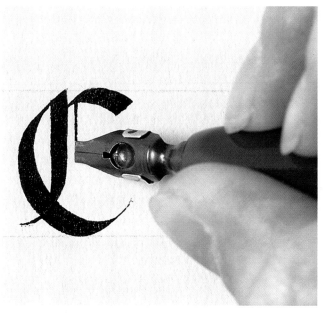

fig.11. Capitales Black Letter.

fig.12. La plume est tenue à la verticale pour tracer les minces traits des capitales.

fig.13. Un petit trait additionnel est souvent placé à l'intérieur de la courbe, par souci décoratif.

fig.15. Empattements « fraktur ».

fig.16. Les empattements exigent de manipuler adroitement un coin de la plume.

fig.14. Un titre combinant des minuscules et des capitales Black Letter est beaucoup plus facile à lire que s'il est composé uniquement de capitales.

Réaliser un calendrier

On peut tracer les nombres dans le style Black Letter, comme nous l'illustrons à l'étape 1. Toutefois, comme ils ne sont pas très faciles à lire, il est préférable d'accompagner la plupart des écritures de chiffres, tracés dans des styles d'écriture plus sobres. Par exemple, dans le cas d'une adresse, où la lisibilité est cruciale.

On peut faire un calendrier calligraphique simple avec un papier assez lourd ou un carton mince. Écrivez les noms des sept jours de la semaine en lettres assez grosses (les exemples illustrés à l'étape 2 ont été tracés avec une plume numéro 1). Écrivez les mois de l'année de la même grosseur, mais d'une couleur différente. Laissez beaucoup d'espace entre chaque mot, parce que les cartons seront tous coupés suivant les mêmes dimensions. Coupez le carton de façon à ce que chaque mot soit centré (étape 3).

Écrivez les nombres 1 à 31 avec une plume plus grosse (à l'étape 4, nous avons utilisé une plume automatique numéro 3, ce qui donne des chiffres de 30 mm de haut [environ 1 po]).

Découpez tous les morceaux de carton en leur donnant 60 mm de hauteur (2 6/16 po). Les cartons des noms de jours et de mois doivent avoir une largeur de 120 mm (4 3/4 po).

Vous pouvez placer les dates de différentes façons. Vous pourriez percer un trou au centre de chaque carton, puis tous les suspendre sur une rangée de crochets fixés à un petit tableau. Vous pouvez aussi fabriquer un simple support de carton épais en faisant un revers à sa base pour y faire tenir les cartons (étape 5).

Une troisième possibilité est de fixer les cartons en place sur un tableau avec des bouts de Velcro. Le Velcro (en général blanc ou noir) que l'on trouve dans les magasins à rayons est composé de deux bandes de tissu qui adhèrent l'une à l'autre, mais que l'on peut séparer et réunir encore et encore. Achetez la version à double adhérence, c'est-à-dire dont les deux ont un endos adhésif. Vous pourrez ainsi appliquer un morceau au dos d'un des cartons et l'autre sur le tableau (étape 6). Si vous examinez bien le Velcro, vous verrez que l'un des côtés est fait de minuscules crochets et l'autre de minuscules boucles auxquelles les crochets adhèrent. Collez les morceaux avec crochets aux cartons, et ceux avec boucles au tableau. Vous pouvez maintenant suspendre votre calendrier (étape 7).

Les fabricants de panneaux d'affichage les recouvrent souvent d'un tissu conçu spécialement pour les attaches en Velcro et vous pouvez trouver ce genre de panneaux et des petites attaches rondes en Velcro dans les magasins de fournitures de bureau.

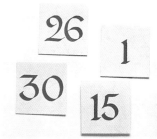

Étape 1. Nombres en Black Letter.

Étape 2. Écrivez le nom des jours de semaine et des mois en grosses lettre

Étape 3. Les jours de la semaine et les mois sont en position centrée sur les cartons découpés.

Étape 4. Les nombres 1 à 31 sont tracés en écriture fondamentale, pour plus de lisibilité.

Étape 5. Un simple support est fabriqué à partir de carton épais replié.

Étape 6. Velcro double adhérence.

Étape 7. On peut attacher une cordelette au tableau pour le suspendre.

Un sonnet de Shakespeare

Comme l'écriture Black Letter est très dense, un texte écrit d'un seul bloc dans ce style produit un effet saisissant. Le sonnet de Shakespeare, illustré à l'étape 1, est fait de lignes d'à peu près la même longueur et par conséquent, il se prête à ce traitement.

Ce genre de présentation permet d'éviter de découper et de coller le texte, parce que les lignes sont de longueur semblable et le fait de les tracer l'une après l'autre, comme dans un exercice continu, vous fournira assez de points de repère pour effectuer le travail final. Par la même occasion, cela vous donnera une bonne idée de la densité qu'aura le texte une fois terminé.

Quand vous aurez écrit le brouillon, mesurez la longueur des lignes (étape 2), déterminez le point de départ de chaque ligne et assurez-vous que toutes les lignes soient centrées lorsque vous écrirez la pièce finale. Toutes les lignes de texte un peu plus courtes que la moyenne peuvent commencer par un petit alinéa, pour faire en sorte que la différence de longueur entre les lignes soit moins évidente. Les lignes un peu plus longues peuvent commencer un peu plus à gauche, pour que le bloc de texte produit soit carré. Maintenant, écrivez votre texte (étape 3). Comme les interlignes entre les lettres Black Letter sont seulement haut d'une lettre, prenez garde de ne pas tracer des hampes et des hastes trop longues (étape 4).

La pièce finale a été écrite sur un papier Parchmarque bleu, suivant un modèle de deux lignes consécutives de même couleur. L'ensemble est réalisé en trois couleurs, soient : terre verte (vert sauge), ocre et rouge profond. Nous avons utilisé une plume

Mitchell numéro 3 ; les lignes-guides, tout comme l'espace entre les lignes, mesurent 6 mm (1/4 po). Un travail dense comme celui-ci exige une large bordure, alors prévoyez de larges marges autour du texte lorsque vous préparerez le papier.

Shall I compare thee to a summer's day?
Thou art more lovely and more temperate:
Rough winds do shake the darling buds of May,
And summer's lease hath all too short a date:
Sometime too hot the eye of heaven shines,
And often in his gold complexion dimm'd:
And every fair from fair sometime declines,
By chance, or nature's changing course untrimm'd;
But thy eternal summer shall not fade,
Nor lose possession of that fair thou ow'st,
Nor shall death brag thou wander'st in his shade,
When in eternal lines to time thou grow'st;
So long as men can breathe, or eyes can see,
So long lives this, and this gives life to thee.

Shakespeare

Étape 1. Le texte est esquissé et des crayons de couleur indiquent les couleurs choisies.

Étape 2. Tracez les lignes-guides au crayon, en vous basant sur une ligne verticale centrale pour marquer le début et la fin de chaque ligne de texte.

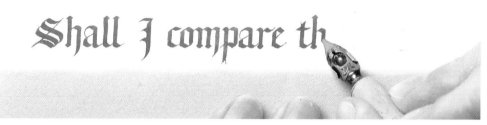

Étape 3. Tracez votre texte.

calm was the day,
and through the

Étape 4. La Black Letter exige la hauteur d'une lettre entre les lignes de texte.

Shall I compare thee to a summer's day?
Thou art more lovely and more temperate:
Rough winds do shake the darling buds of May,
And summer's lease hath all too short a date:
Sometime too hot the eye of heaven shines,
And often in his gold complexion dimm'd:
And every fair from fair sometime declines,
By chance, or nature's changing course untrimm'd;
But thy eternal summer shall not fade,
Nor lose possession of that fair thou ow'st,
Nor shall death brag thou wander'st in his shade,
When in eternal lines to time thou grow'st;
So long as men can breathe, or eyes can see,
So long lives this, and this gives life to thee.

Shakespeare

Tracer des bordures et des liserés

Il est important de réfléchir à l'avance aux marges qui encadreront votre travail. Quelques exemples sont illustrés à la figure 17. Si vous laissez trop peu d'espace pour la marge, le texte donnera l'impression que vous l'avez entassé sur la page. Au contraire, si les marges sont trop larges, le texte pourrait avoir l'air un peu perdu. On réussit des marges de bonnes proportions en laissant environ un quart de la largeur du texte de chaque côté et en haut de la page. En général, la marge inférieure est un peu plus large pour que le tout paraisse équilibré.

Vous pouvez voir un autre sonnet de Shakespeare à la figure 18. La première lettre a été grossie par souci décoratif. Si vous laissez une initiale s'étendre au-delà du bloc de texte, vous pouvez ajouter un simple liseré de couleur de motif floral courant jusqu'au bord inférieur gauche (fig. 19). En laissant la première lettre s'étendre au-delà de la ligne du haut, laissez aussi courir le liseré le long du bord supérieur jusqu'au bord inférieur gauche de la page. En déplaçant légèrement le bloc de texte, vous pouvez également étendre la bordure sur trois côtés, ou faire en sorte qu'elle entoure complètement le texte.

Vous pouvez aussi introduire de petits motifs et des décorations aux pièces constituées de plusieurs strophes, en les insérant entre les strophes (fig. 20 et 21). Ou encore, vous pourriez écrire le texte en lui donnant n'importe quelle forme convenable (fig. 22). Une pièce encadrée est illustrée à la figure 23.

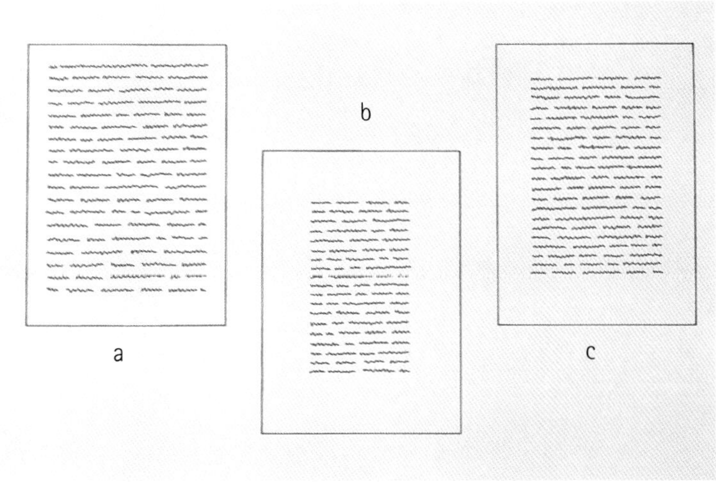

fig.17. Différentes largeurs de marges : a) trop étroite ; b) trop large ; c) correcte.

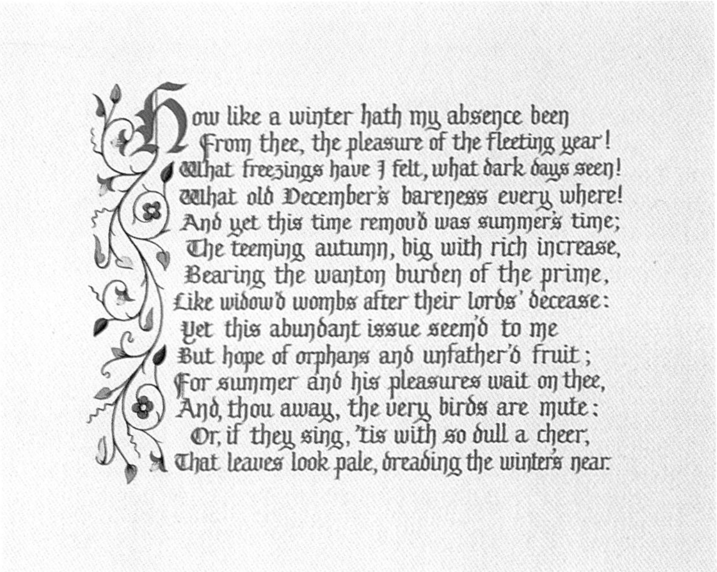

fig.18. Sonnet.

fig.19. Construction de bordures.

Desiderium

My spirit longeth for Thee,
　　Within my troubled breast;
Although I be unworthy
　　Of so divine a Guest.

· · · ❦❦❦❦❦❦❦❦ · · ·

Of so divine a Guest,
　　Unworthy though I be;
Yet has my heart no rest,
　　Unless it come from Thee.

· · · ❦❦❦❦❦❦❦❦ · · ·

Unless it come from Thee,
　　In vain I look around;
In all that I can see,
　　No rest is to be found.

· · · ❦❦❦❦❦❦❦❦ · · ·

No rest is to be found,
　　But in Thy blessed love;
O! let my wish be crowned,
　　And send it from above!

John Byrom

fig.20. Des décorations entre chaque strophes embellissent ce texte.

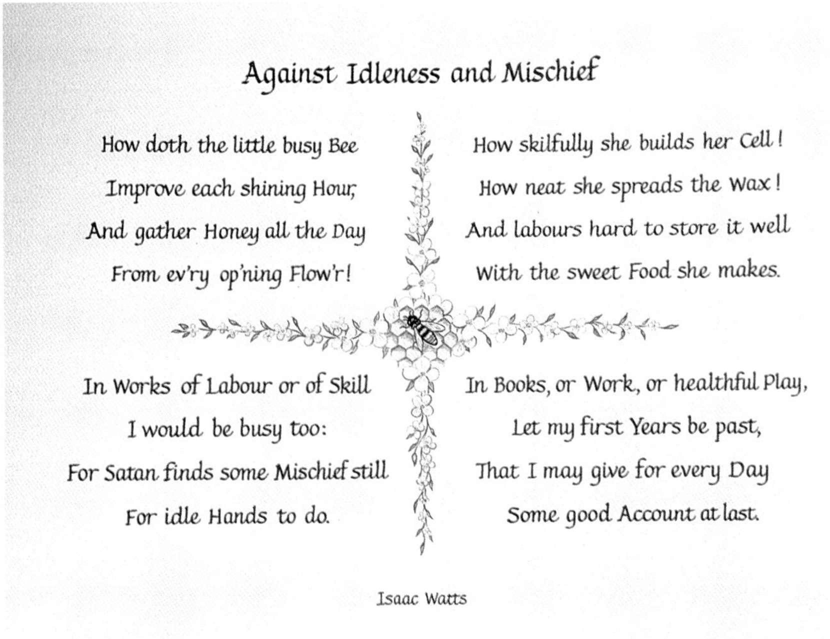

Against Idleness and Mischief

How doth the little busy Bee
Improve each shining Hour,
And gather Honey all the Day
From ev'ry op'ning Flow'r!

How skilfully she builds her Cell !
How neat she spreads the Wax !
And labours hard to store it well
With the sweet Food she makes.

In Works of Labour or of Skill
I would be busy too:
For Satan finds some Mischief still
For idle Hands to do.

In Books, or Work, or healthful Play,
Let my first Years be past,
That I may give for every Day
Some good Account at last.

Isaac Watts

fig.21. Les strophes peuvent être arrangées autour d'une décoration centrale.

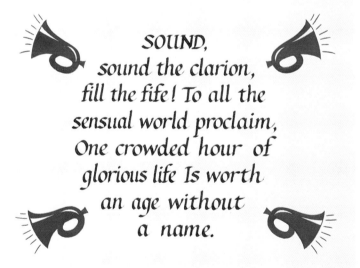

SOUND,
sound the clarion,
fill the fife! To all the
sensual world proclaim,
One crowded hour of
glorious life Is worth
an age without
a name.

fig.22. Le texte de cette pièce a été formé à l'intérieur d'un cercle.

fig.23. Une illustration centrale sépare deux colonnes de texte.

Fabriquer un livre de recettes

Le dernier projet de ce chapitre est un livre de recettes ; quelques recettes ont été écrites au brouillon. Le titre et la liste des ingrédients de chaque recette ont été tracés en style Black Letter, alors que la marche à suivre est tracée en italique.

Pour créer un effet visuel plus intéressant, variez la présentation des recettes d'une page à l'autre en disposant les blocs de texte suivant leur taille. Par exemple, à l'étape 1, la recette débute par un titre droit et centré. Viennent ensuite la liste des ingrédients dans le bloc de gauche, et la marche à suivre, dans celui de droite.

À l'étape 2, les ingrédients apparaissent sur deux colonnes, sous le titre centré, tandis que la marche à suivre occupe toute la largeur, juste au-dessous des deux colonnes.

Comme la liste d'ingrédients illustrée à l'étape 3 est courte, on l'a placée sous le titre, du côté gauche de la page, la marche à suivre a été placée à droite pour équilibrer le tout.

Rock Buns

4 oz self-raising flour
2 oz butter
2 oz sugar
1 egg
2oz dried fruit

Rub fat into flour then add sugar and half of the egg then the dried fruit. Mix all together and place in spoonfuls on a greased baking tray. Cook for 15 minutes in oven Reg.4

Étape 1. Ici, le titre est centré, les ingrédients sont à gauche et la marche à suivre, à droite.

Macaroons

2 egg whites
5oz castor sugar
5oz ground almonds

few drops almond essence
almonds or cherries
rice paper

Whisk egg white until very stiff. Add almond essence, then sugar and ground almonds. Roll the mixture into rounds and place - well spaced out- on rice paper. Put a cherry or almond on top of each biscuit Bake for 20 minutes at Reg.4 When nearly cold, remove from tin and tear around the rice paper.

Étape 2. Les ingrédients apparaissent sur deux colonnes, le titre est centré et la marche à suivre s'étend sous les deux colonnes.

Shortbread

1 oz castor sugar
2oz butter
3oz plain flour

Preheat oven to Reg.4. Cream butter until very soft. Add sugar and cream until light and fluffy. Stir in flour in very small amounts. Press mixture into a tin. Cook for 20 minutes. Dredge with castor sugar while still hot.

Étape 3. Le titre et la liste des ingrédients sont à gauche, la marche à suivre est à droite.

L'étape 4 montre une longue liste d'ingrédients centrée jusqu'au bas de la page, alors que la marche à suivre est séparée en deux colonnes, à gauche et à droite de la liste. Le livre peut contenir encore plus de variantes. Pour réunir une bonne présentation, considérez les lettres comme des blocs de texte pouvant être déplacés sur la page et séparés en plus de blocs, si nécessaire. Cette façon de concevoir une page de texte est utile pour plusieurs types de projets.

Quand vous aurez choisi votre présentation, mesurez et tracez les lignes-guides et les marques sur le papier et commencez à tracer les lettres (étape 5).

Pour créer votre livre de recettes, vous pouvez utiliser un livre déjà relié fait de papier de bonne qualité, mais vous pouvez décider de fabriquer vous-même un livre que vous relierez par la suite. Si vous fabriquez votre propre livre de recettes, découpez d'abord des feuilles de papier pour former des doubles-pages en prévoyant de généreuses marges de façon à pouvoir insérer de plus gros blocs de texte, si nécessaire.

Si vous avez assez de recettes (par exemple, six doubles-pages) pour remplir un certain nombre de pages, reliez-les ensemble et ajoutez une page titre et une page couverture. Pour faire la page couverture, vous aurez besoin d'un papier épais et décoratif. Vous pourriez aussi acheter du papier à reliure renforcé avec coton tissé.

Florentines

Melt sugar and butter in pan. Add fruit, nuts and beaten egg, mix well. Grease baking trays and place tea-spoonfuls of mixture, well apart, on these. Cook for 10-15 mins. at top of oven, Reg. 3

4 oz castor sugar
4 oz butter
1 egg
3 oz chopped glacé cherries
3 oz raisins
2 oz chopped walnuts
4 oz plain chocolate

until golden brown. Remove from tray, with a palette knife, when nearly cold. Cool on wire trays. Melt chocolate and spread over one side of each biscuit. Makes 25-30.

Étape 4. Les ingrédients sont centrés jusqu'au bas de la page et la marche à suivre est séparée en deux colonnes.

4 oz self-raising flour
2 oz butter
2 oz sugar
1 egg
2 oz dried fruit

Étape 5. Commencez à tracer vos lettres.

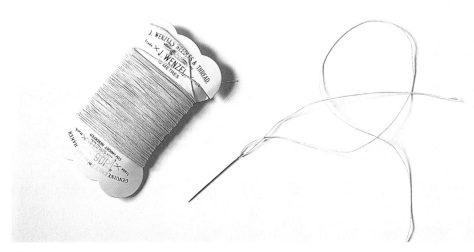

Étape 6. Vous aurez besoin d'une grosse aiguille et d'un épais fil à reliure.

Fabriquer un livre de recettes (suite)

Les pages sont cousues ensemble avec un fil épais et une grosse aiguille à reliure (étape 6). Cousez-les le long du pli central, en traversant cinq marques à égale distance l'une de l'autre, tel qu'illustré à l'étape 7. Poussez bien l'aiguille en traversant chaque fois toutes les épaisseurs (étape 8). Ramenez les bouts du fil au centre des pages et nouez-les ensemble autour du fil central (étape 9).

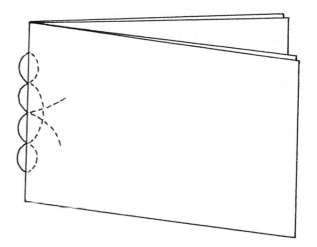

Étape 7. Ce diagramme indique la direction que doivent suivre les coutures.

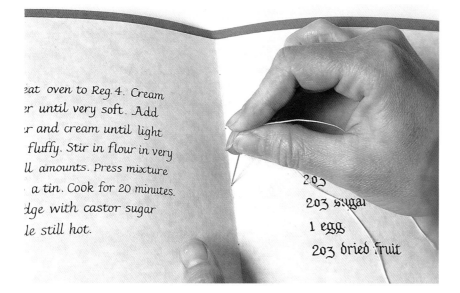

Étape 8. Cousez bien les pages ensemble.

Étape 9. Nouez les extrémités autour du fil central, puis coupez-les en laissant environ 2,5 cm (1 po) de fil libre.

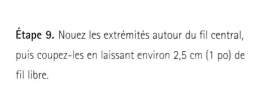

L'écriture
onciale 9

L'écriture onciale

L'écriture onciale que l'on retrouve dans les manuscrits celtiques du VIIIe au Xe siècle, d'allure plus ronde et grasse, est utile pour réaliser de nombreux types de travaux décoratifs. Les lettres sont très espacées, plus près de l'écriture fondamentale vue au début de ce livre que des styles condensés étudiés par la suite.

fig.1. Alphabet oncial moderne.

Les lettres illustrées par la figure 1 sont des formes modernes et simplifiées des onciales originales utilisées à l'époque du haut moyen-âge. Parce que les lettres sont légèrement plus écrasées que dans la plupart des styles, une hauteur de quatre fois et demie la largeur du bec donnera un meilleur effet que les cinq becs de plumes habituels (fig. 2). Il faut aussi tenir la plume à un angle un peu plus étroit (fig. 3).

Les hampes et les hastes doivent rester très courtes. De plus, comme pour le style Black Letter, la hauteur entre les interlignes ne devrait pas excéder la hauteur d'une lettre (fig. 4). Les lettres étant plus larges, ce style d'écriture occupera beaucoup d'espace à l'horizontale, mais pas à la verticale, alors si vous écrivez un texte qui contient un grand nombre de lignes courtes, ce style les fera paraître plus larges.

Le petit empattement en coin de cette écriture est très facile à faire. La pointe donnée aux traits ascendants (fig. 5) n'est qu'un court trait oblique tracé de gauche à droite, juste avant l'amorce du trait descendant. La fin de l'horizontale qui termine des lettres comme le « e », le « f » et le « l » est formée de façon similaire, c'est-à-dire en traçant un court trait oblique vers le bas, près de la fin, et en ramenant la plume vers l'horizontale, pour que les deux traits se rejoignent (fig. 6).

La lettre « a » commence par un trait oblique incurvé à chaque extrémité, suivant la direction naturelle de la plume. La boucle étroite qui constitue le reste de la lettre est faite d'un trait continu équilibrant la diagonale. Les lettres « b », « c », « d » et « e » sont toutes bien rondes. Rappelez-vous toutefois, lorsque vous formerez le trait supérieur du « d », de ramener l'arrondi en bonne position de manière à compléter le cercle amorcé par le premier trait.

fig.2. L'interligne pour l'écriture onciale est de quatre becs de plume et demi (4 1/2)

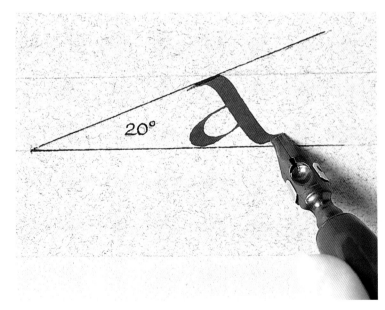

fig.3. Il faut tenir la plume à un angle de 20 degrés.

La barre horizontale du « f » s'étend légèrement au-delà de l'extrémité du trait supérieur, tandis que le trait descendant se termine juste au-dessous de la ligne de base. Le « g » diffère du « c » uniquement en ceci qu'il présente une petite queue à la base, laquelle peut être réalisée sans lever la plume de la page après avoir tracé le second trait arrondi. On donne habituellement au second trait du « h » une courbe et il faut faire très attention de ne pas ramener le trait final trop près de la première verticale, car la lettre pourrait alors ressembler à un « b ».

Bien qu'à l'origine le « i » et le « j » n'étaient pas coiffés d'un point, on peut leur ajouter un petit trait de biais en guise de point, de manière à rendre la lecture plus facile. La base de chacune des lettres déjà mentionnées, comme celle de beaucoup d'autres, a droit à un petit empattement de la forme d'un trait mince de biais, mais dans ce cas, il doit être moins prononcé que celui du « point » : faites-le d'un petit coup de plume. Le « k » et le « r » sont pareils, sauf que le premier trait du « k » est plus allongé. Ces deux lettres peuvent avoir l'air tassé en raison de leur aspect trapu et parce que la section courbe et l'oblique finale sont comprimées dans un petit espace ; assurez-vous de les tracer aussi nettement que possible. Le trait à la base du « l » est de la même largeur que le trait horizontal du « f ».

Un « m » aux traits extérieurs arrondis et un « n » dont le deuxième trait est rond sont illustrés ici, mais rappelez-vous qu'il existe diverses possibilités pour ces deux lettres (quelques-unes sont illustrées plus loin) et que chacune peut être utilisée dans une œuvre calligraphiée. Quand vous tracerez le « n » arrondi, n'amorcez pas le bout du trait arrondi trop près de la verticale. L'onciale utilise un « o » complètement circulaire, tandis que le « p » compte seulement deux traits, sans petit trait additionnel joignant la verticale au trait arrondi. L'extrémité du trait arrondi est ramenée jusqu'au trait vertical et le trait est achevé avec le coin de la plume. Bien que l'arrondi du « v » soit presque circulaire, la courbe du deuxième trait a été légèrement modifiée ; ainsi, bien qu'il y ait un espace au sommet, le deuxième trait rencontre le premier à la base dans une courbe, de manière à ce que la lettre paraisse ronde.

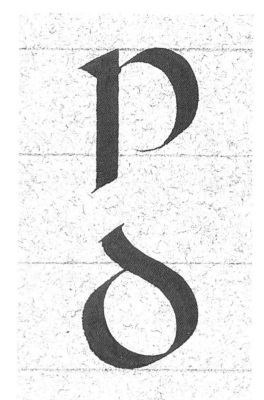

fig.4. Les hampes et les hastes doivent rester courtes et il faut prévoir la hauteur d'une lettre comme interligne.

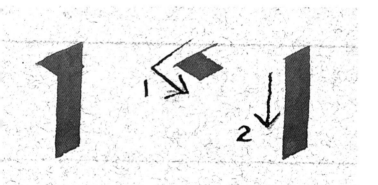

fig.5. Petit empattement en coin donné aux traits verticaux.

fig.6. Empattement épais des extrémités aux traits horizontaux des lettres « e », « f » et « l »

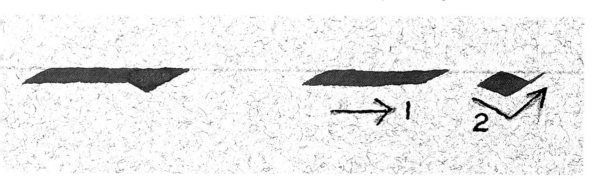

Choix de lettres onciales

La figure 7 montre quelques choix de lettres onciales que l'on peut utiliser à la place de celles enseignées précédemment. Le « g » ,de forme inhabituelle, a plus de chance de se rencontrer dans un alphabet original oncial, mais comme il n'est pas facile à distinguer dans une page de texte, vous devrez décider ce qui importe le plus dans l'œuvre calligraphique sur laquelle vous travaillez ; la clarté ou l'authenticité. Notez que le « l » illustré ici présente la même courbe que celle du premier trait du « b ».

La deuxième version du « y » ne se rencontre pas dans les manuscrits celtiques, mais nous l'illustrons parce qu'elle peut être très pratique si vous voulez que votre texte soit très lisible (la version donnée plus tôt se confond facilement avec le « u », au premier regard).

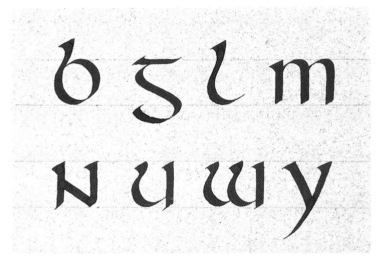

fig.7. Quelques choix de lettres onciales.

fig.8. Lettres capitales anguleuses accompagnant souvent l'écriture onciale.

Minuscules agrandies

Les textes en écriture onciale ne contenaient pas de capitales initiales. Lorsqu'il fallait mettre l'accent sur certaines lettres, on utilisait plutôt une version agrandie des minuscules, souvent avec un petit embellissement additionnel : couleur ou décoration. On trouve parfois de grosses lettres anguleuses dans certains manuscrits celtiques et ces lettres pouvaient servir de capitales. Comme elles étaient habituellement dessinées puis peintes plutôt qu'écrites à la plume, on ne pouvait pas les intégrer au bloc de texte normal (fig. 8).

Les versions agrandies des lettres minuscules sont réalisées avec une plume du même format que celle utilisée pour le reste du texte, mais elles exigent plusieurs traits de plume afin de gagner le poids correspondant à l'augmentation de leur hauteur. Si vous avez de la difficulté à tracer ces lettres grand format, exercez-vous sur un papier brouillon jusqu'à ce que vous ayez réussi une lettre de belle apparence. Vous pouvez aussi tracer le contour de cette lettre et vous en servir comme guide soit pour les lettres suivantes, soit pour vos pièces finales jusqu'à ce que vous soyez assez compétent pour les écrire à main levée. La figure 9 illustre un alphabet de lettres basées sur les onciales des manuscrits celtiques que l'on peut utiliser comme capitales.

L'adage irlandais (et sa traduction anglaise) illustré à la figure 10 est un texte oncial typique, avec des lettres agrandies enluminées apparaissant çà et là sur la page. Les centres de grandes lettres et les espaces qui les entourent ont été rempli d'une autre couleur, puis entourés de minuscules points rouge (fig. 11). La figure 12 montre un autre exemple d'écriture onciale ayant servi à faire une carte de vœux pour un nouveau retraité.

L'écriture onciale originale était tracée avec un angle de plume très aigu (fig. 13). Cependant, si vous regardez de vieux manuscrits, vous verrez qu'il était impossible pour le scribe de respecter le même angle de plume lorsqu'il traçait certains traits, alors vous pourrez vous donner une certaine latitude en écrivant cet alphabet. En fait, il existe plusieurs variantes de certaines de ces lettres, toutes pouvant quand même conférer au texte un caractère celtique.

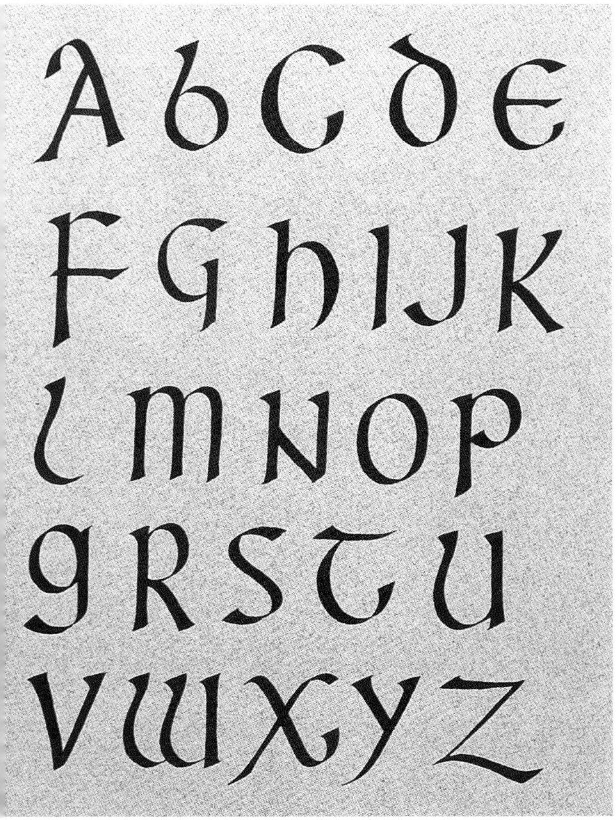

A b C D E
F G h I J K
l M N O P
g R S T U
V W X Y Z

fig.9. Grandes onciales utilisées comme capitales.

Sum Fosgladh dorus na
Bliadhna Uire chum Sith
Sonas is Samchair

May the door of the
coming Year open for you
to Peace happiness and
Quiet Contentment

fig.10. Un adage irlandais parsemé de lettres légèrement enluminées.

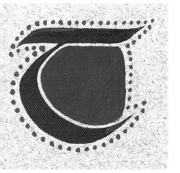

fig.11. La lettre est remplie avec une couleur et entourée de minuscules points rouges.

With Best
Wishes
on Your
Retirement

From all at

gvp

fig.12. Carte de vœux pour une retraite.

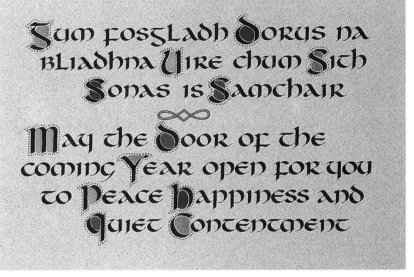

A B C D E F G
h I J K L M N O
P Q R S T U V
W X Y Z

fig.13. Alphabet oncial du VIIIe siècle.

Créer une carte de vœux celtique

Nous fabriquerons maintenant une carte de vœux représentant l'adage irlandais bien connu Caed Mille Failte (« Soyez cent mille fois béni »). Pour ce projet, il vous faudra un carton assez rigide d'au moins 150 grammes par mètre cube.

Comme vous voudrez probablement que ce carton entre dans une enveloppe, nous l'avons conçu selon les dimensions suivantes : 210 x 105 mm (environ 9 x 4 po). Non seulement on trouve beaucoup d'enveloppes de ce format, mais il se prêtera parfaitement à notre texte.

Comme le motif ne comporte pas beaucoup de mots, vous aurez besoin d'une plume de grand format. Faites quelques expériences jusqu'à ce que vous ayez trouvé le meilleur format (étape 1). Nous avons d'abord utilisé une plume 1 1/2, qui fonctionnait assez bien. Mais comme il

restait encore beaucoup d'espace sur le carton, nous avons essayé une plume numéro 1. Non seulement les lettres produites remplissaient mieux l'espace, mais elles étaient plus grasses, plus frappantes. Nous avons donc préféré la plume numéro 1 au format 1 1/2 (étape 2).

Écrivez et centrez les caractères plus petits de la traduction (étape 3). Nous avons utilisé une plume numéro 4 et des interlignes de 4 mm (environ 3/16 po). Ce format semblait idéal, alors nous n'avons pas eu à faire d'autres expériences.

Choisissez maintenant l'ornementation. Dans cet exemple, les trois initiales auront un centre de couleur et seront entourées de minuscules points rouges, tel que vu précédemment (étape 4).

Découpez le carton selon le format prévu — 210 x 210 mm (environ 9 x 9 po)

— et ne le pliez pas tant que vous travaillerez la calligraphie (il est plus facile de mesurer les lignes d'écriture à partir d'un bord supérieur coupé bien droit plutôt qu'à partir d'un bord irrégulier de double épaisseur).

Déterminez l'espace que le texte occupera sur la portion inférieure du carton non plié et tracez les lignes-guides à la règle (étape 5).

Étape 6. Écrivez le texte puis décorez-le (N'ajoutez pas la décoration avant que le texte soit écrit, au cas où vous commettriez une erreur et soyez obligé de tout reprendre à partir de zéro.)

Pliez le carton en veillant à ce que les coins se rencontrent avec précision et pressez légèrement. Servez-vous d'un plioir pour terminer, ce qui donnera un beau pli bien plat.

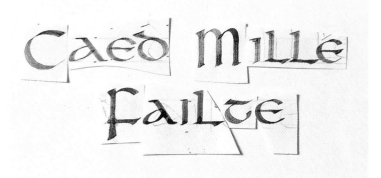

Étape 1. Choisir le meilleur format de plume.

Étape 2. Faire l'expérience d'un autre format de plume.

Étape 3. Ajout des petits caractères.

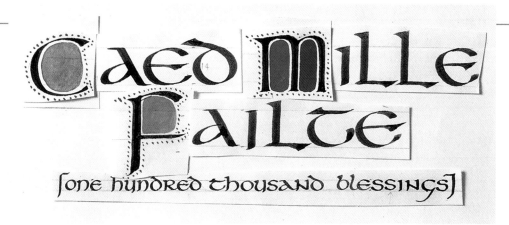

Étape 4. Ajout de décorations.

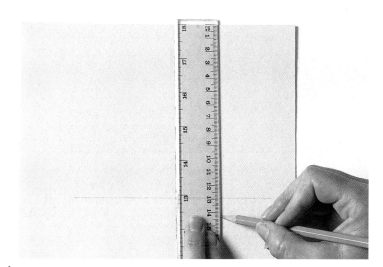

Étape 5. Mesurez et tracez les lignes-guides sur le carton non plié.

Étape 6. Servez-vous d'un plioir en os pour bien aplatir le pli du carton.

Étape 7. Le carton terminé.

Motifs décoratifs celtiques

Une carte de vœux de bonne année de style celtique est illustrée à la figure 14. (Bliadhna Mhath-ur veut dire « Bonne Année »).

Les manuscrits celtiques abondent de magnifiques motifs avec lesquels vous pouvez décorer vos textes. Par exemple, vous pouvez vous servir de motifs d'entrelacs illustrant animaux et oiseaux pour agrémenter n'importe quelle pièce d'écriture. De nombreux livres de références présentent des illustrations provenant de ce genre de grands manuscrits celtiques, tels les Évangiles de Lindisfarne (VIIe siècle) et le Book of Kells (VIIIe siècle).

fig.14. Une carte de vœux pour la nouvelle année.

Projet

Carte de vœux d'anniversaire

Le design de la carte d'anniversaire illustrée à l'étape 1 a été réalisé en traçant d'abord des onciales et de gros caractères comme initiales de chaque mot. Une fois centrés sur le brouillon l'un sous l'autre (étape 2), les trois mots (Happy Birthday Lisa) prenaient une forme carrée — plutôt que rectangulaire — et comme les coins étaient de toute évidence à décorer, on décida d'y tracer un motif celtique d'entrelacs. On traça d'abord un dessin dans un des coins (étape 3), que l'on répéta ensuite dans chaque coin (étape 4), avant de les relier ensemble par une torsade pour compléter la bordure. Nous avons utilisé un carton Malmarque.

Étape 1. Carte d'anniversaire avec entrelacs celtiques.

Étape 2. Les mots centrés influencent les proportions générales de la carte.

Étape 3. Début du modèle linéaire.

Étape 4. La bordure prolonge le modèle, qui se répète aux quatre coins.

apier et carton pour la calligraphie

Le papier et le carton à calligraphie présentent diverses carac-
ristiques, la plus importante étant la texture de la surface. Si le
apier n'est pas assez poreux, l'encre s'accumulera sans pénétrer
s fibres, comme il se doit. L'encre finira par sécher, mais les lettres
isquent de ne pas être claires et nettes. Au contraire, avec un
apier trop poreux, l'encre pénétrera les fibres comme dans du
apier buvard et une fois encore, vous ne produirez pas des lettres
ettes aux bords bien définis. Voici deux papiers d'excellente
ualité dont le pouvoir absorbant est idéal : le Fabriano Ingres et le
apier Arches (fig. 15). Il y en a d'autres que vous trouverez peut-
tre chez votre marchand : le T H Saunders, le Waterford et le
anson. Ces types de papiers sont habituellement vendus en
randes feuilles et le Fabriano Ingres comme le Canson sont offerts
ans une grande gamme de couleurs et un grand choix d'épais-
eurs (fig. 16).

En plus de son pouvoir absorbant, la texture de la surface est
mportante parce que certains papiers sont si rugueux que la
lume accroche aux fibres et vous risquez alors d'asperger votre
age d'encre ou de mal former vos lettres. Le problème est moins
rave si vous utilisez une plume de grand format plutôt que celles
e format 3 à 6. Bien que vous puissiez parfois vous servir d'une
exture rugueuse avantageusement, par exemple pour produire
n effet intéressant, il est en général préférable d'opter pour une
urface de papier assez lisse.

Si vous achetez des papiers faits à la main, vous noterez qu'ils
ont décrits selon la texture de leur surface. Les papiers

« rugueux » ont été pressés entre des feuilles de feutre avant d'être
séchés, ce qui fait que la texture du feutre s'est imprimée dans le
papier. Les papiers « not » sont plus doux, parce que les feuilles
sont pressées ensemble à plusieurs reprises, alors que le papier
« pressé à chaud » (HP) aura une surface beaucoup plus lisse, car
il est pressé entre des plaques de métal chauffées.

Au moment de la fabrication du papier, une pulpe composée de
fibres est brassée dans un large plateau avant d'être uniformément
répartie sur toute la surface d'un plateau. Dans le cas du papier
fait à la main, les fibres sont plus grossièrement réparties et dans
une direction moins unifiée que dans le cas où les fibres sont
brassées à la machine, car la machine produit moins de variations
de mouvement. Une fois le papier séché, la direction dominante des
fibres donnera au grain une direction plus prononcée. Ceci apparaît clairement lorsqu'on déchire une feuille de papier : une
déchirure à contresens du grain est beaucoup plus inégale qu'une
déchirure dans le sens du grain, c'est-à-dire suivant la direction des
fibres. Pensez-y quand vous couperez du papier et du carton (pour
des cartes de vœux par exemple), non seulement il se plit plus
facilement, mais le pli sera plus droit et plus net si vous le faites
dans le sens du grain plutôt qu'à contresens.

On peut travailler la surface du papier en le fabriquant dans des
plateaux dont le treillis a un motif plus prononcé. Les papiers
Watermarks sont produits de cette façon, c'est-à-dire que l'on
donne aux fils de métal des formes spécifiques. Étant donné que
moins de fibres reposent sur les parties soulevées du treillis, quand
on retirera le papier du plateau, la texture de la surface présentera
des variations correspondant aux formes des fils de métal.

fig.15. Quelques bons papiers pour la calligraphie : Arches Aquarelle, Canson
mi-teintes, Fabriano Ingres, Fabriano 5, Waterford.

fig.16. Une sélection de papiers de couleurs Canson et Ingres.

fig.17. Papiers à effet vélin : vélin réel, Parchmarque, Pergamenata (parchemin végétal), Elephantide.

fig.18. Papiers texturés et à motifs : papier pastel Ingres, vert marbré ; Canson mi-teintes, gris foncé marbré et gris clair ; Countryside ; Kashmir ; Marlmarque dans une gamme de couleurs ; papier Cloud Nine en six couleurs ; gaufré marteau ; gaufré lin

fig.19. Une sélection de papiers japona"

On mesure l'épaisseur du papier en grammes par mètre carré (gmc). Le papier à lettres ou de bureau moyen pèse entre 90 et 110 gmc, ce qui est un peu mince pour la calligraphie, parce qu'il risque de rider dès qu'il est mouillé d'encre ou de peinture. En général, pour les travaux de calligraphie, 150 gmc est un bon poids. Si vous avez besoin de carton, vous vous apercevrez que 300 gmc correspond à un carton plutôt rigide, car il se tient tout seul.

La durabilité du papier peut être un important facteur au moment où vous planifiez d'entreprendre une œuvre calligraphique. Pour vous assurer que votre papier ne se détériorera pas trop rapidement, recherchez un papier sans acide, de qualité «conservation». Les bons fournisseurs seront en mesure de vous informer sur la teneur en acide de leurs papiers et de vous conseiller.

Pendant longtemps, les fabricants de papier ont essayé de produire des substituts acceptables au vélin et au parchemin,

deux surfaces d'écriture excellentes pour la calligraphie. Non seulement il est facile de supprimer les erreurs sur ces peaux animales, mais leurs veinures sont aussi très attrayantes. La figure 17 illustre quelques-uns des papiers créés pour reproduire certaines ou toutes ces qualités. Tous sont des papiers de très bonne qualité aux caractéristiques différentes.

Une sélection de papiers de couleur de différentes textures et motifs, tels marbrés ou tachetés, est illustrée à la figure 18. Les fabricants de papiers japonais produisent des papiers décoratifs très attrayants ; quelques-uns sont illustrés à la figure 19. Plusieurs sont parfaits pour la calligraphie et peuvent grandement contribuer au design. Le papier ayant l'apparence du bois, disponible dans une grande gamme de couleurs, a une surface qui se prête parfaitement à la calligraphie. Et bien que certains des papiers à effet de dentelle ou de ficelle peuvent poser plus de difficultés, ils peuvent aussi permettre de belles réussites.

Écriture ronde moulée

Écriture Copperplate

Le dernier style d'écriture que nous apprendrons est l'écriture Copperplate, que les imprimeurs appellent communément ronde, ou script. C'est le style que l'on associe le plus spontanément aux invitations de mariage. Il sert également à remplir les espaces vierges des certificats et diplômes officiels (fig. 1). L'écriture Copperplate servait dans les documents officiels aux XVIIIe et XIXe siècles, de même qu'au début du XXe siècle et on trouve encore de nombreux actes anciens écrits dans cette belle écriture ronde. D'ailleurs, en Grande-Bretagne, quelques maisons établies depuis très longtemps continuent d'écrire certains de leurs prestigieux documents de cette manière.

Écriture Copperplate

De tous les styles d'écriture, l'écriture Copperplate est celle qui pardonne le moins l'erreur et il faut énormément de pratique pour la maîtriser. La plume requise pour tracer cette écriture diffère de la plume à large bec que nous avons utilisée pour tous les autres styles étudiés jusqu'ici, car sa pointe est fine (fig. 2). La plume à écriture moulée William Mitchell possède en plus un coude qui en facilite l'usage. Aucun réservoir n'est requis, parce que chaque fois que cette plume est trempée dans l'encre, un certain nombre de lettres peuvent être tracées. Mais attention de ne pas trop appuyer sur votre plume, car sa fine pointe pourrait s'écraser et empêcher l'encre de bien s'écouler.

Pas besoin d'employer divers formats de plume pour tracer l'écriture Copperplate, car la même pointe sert pour tous les formats de caractères, tel qu'illustré à la figure 3. Comme vous pouvez le constater à la vue des plus petites lettres, une différence d'un demi-millimètre dans la largeur des lignes peut faire toute une différence. L'angle d'inclinaison des lettres est d'environ 45 degrés, mais vous pouvez le varier, jusqu'à un certain point selon vos préférences, la seule exigence est que vous gardiez un degré d'inclinaison constant du début à la fin.

L'alphabet de base de l'écriture Copperplate est illustré à la figure 4. La principale difficulté de cette écriture consiste à garder un degré d'inclinaison constant et si cela vous cause un problème, servez-vous de lignes-guides obliques en plus des lignes-guides habituelles (fig. 5). La hauteur entre les lignes

fig.1. Écriture Copperplate sur un certificat imprimé.

d'écriture devrait être égale à la hauteur de deux lettres au moins ; trois ou quatre hauteurs de lettre donneront souvent une meilleure apparence, parce que les traits ascendants et descendants se terminent en longues arabesques très élaborées (fig. 6).

fig.2. La plume à écriture Copperplate.

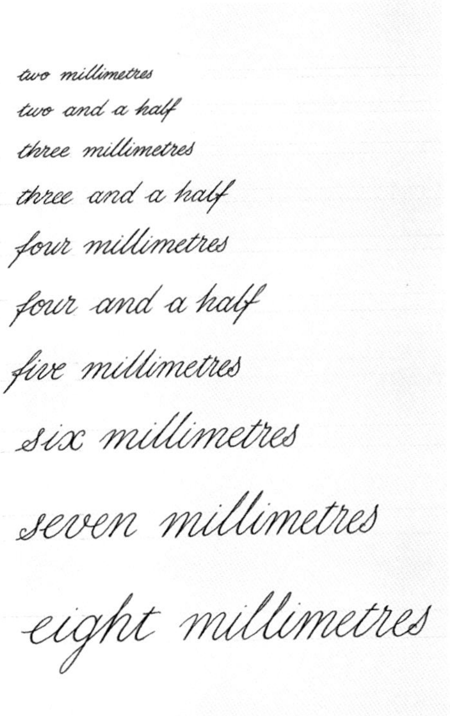

two millimetres
two and a half
three millimetres
three and a half
four millimetres
four and a half
five millimetres
six millimetres
seven millimetres
eight millimetres

fig.3. La même pointe peut servir à tracer des lettres de différents formats.

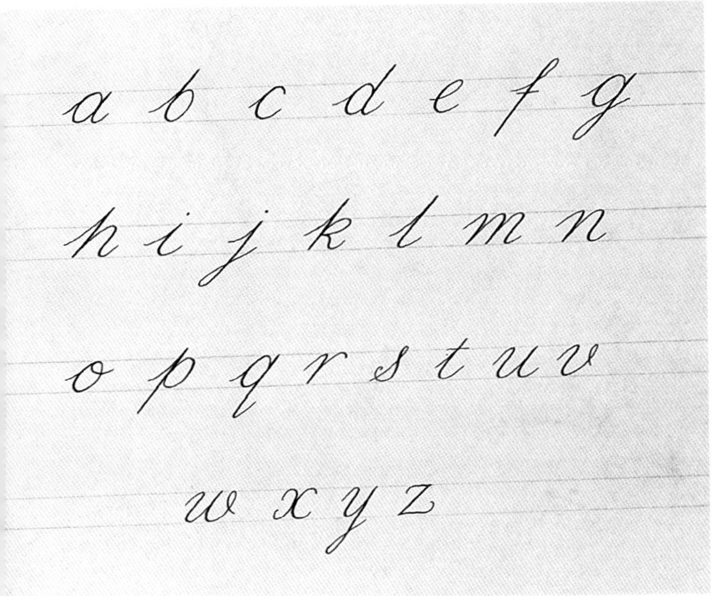

a b c d e f g

h i j k l m n

o p q r s t u v

w x y z

fig.4. Minuscules en écriture Copperplate.

the flowers of

the

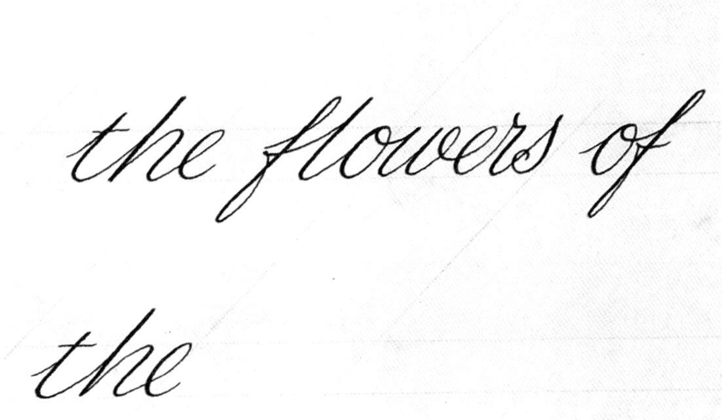

fig.5. Texte avec lignes-guides obliques pour aider à garder un angle d'inclinaison constant.

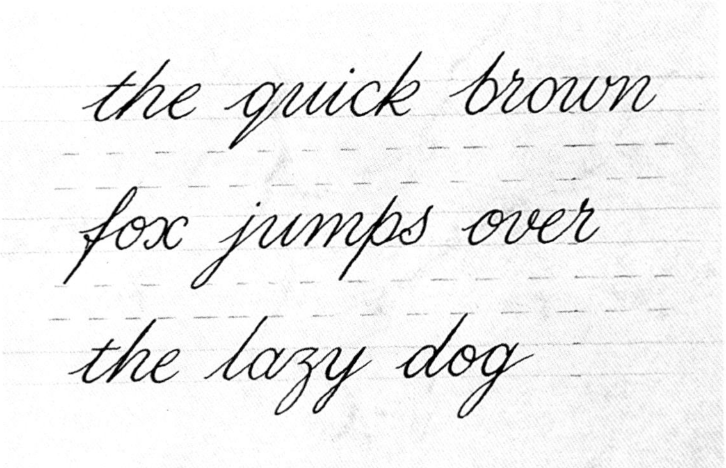

the quick brown

fox jumps over

the lazy dog

fig.6. Lignes de texte en écriture Copperplate moulée avec interlignes de trois hauteurs de lettres.

La différence entre ce style et ceux qui sont écrits avec une plume à bec carré, c'est que vous formez les lettres en levant moins souvent votre plume du papier. La plume peut être déplacée à reculons si nécessaire, ce qui donne au style une belle fluidité. Les mots sont écrits sans interruption, avec à peine un arrêt occasionnel pour mettre la barre ou le point sur le « t » et le « i ». Vu l'extrême finesse de la pointe de la plume, vous devrez utiliser un papier assez lisse, car une surface trop texturée ne permettrait pas à la plume de glisser librement et de créer de longs traits fluides et déliés.

Sous leur forme la plus simple, les traits ascendants des lettres sont larges et se terminent abruptement. Les lettres ne s'amorcent jamais au haut d'un trait ascendant ; la plume est plutôt ramenée vers le haut à partir de la gauche, comme si le trait ascendant se situait à la suite d'une autre lettre. Là où la plume s'arrête et amorce la descendante, une extrémité carrée et bien nette est tracée (fig. 7). Quand vous vous sentirez plus à l'aise, vous pourrez terminer les traits ascendants en boucle (fig. 8 à 10). Plus vos lettres seront grosses, plus il sera facile de faire des boucles ascendantes et descendantes (voir les lettres hautes de 8 mm [5/16 po] à la figure 3, page 117). Lorsque vous tracez les boucles ascendantes, le trait de plume venant de la gauche s'étend, avant de refermer la boucle et descendre tracer le trait descendant.

La liaison des lettres de l'écriture Copperplate est vitale pour maintenir le cours des mots. Toutes les lettres sont reliées par un trait fin allant du bord inférieur droit de la lettre précédente au bord supérieur gauche de la suivante. Là où il n'y a pas de trait de liaison possible — comme avec les lettres « r » et « s », terminées avec une plume dans la mauvaise position — il y aura nécessairement une césure dans la suite des mots et la prochaine lettre commencera avec un trait initial à gauche (fig. 11). Si vous préférez, il existe des versions de certaines lettres formées avec un trait de liaison (fig. 12).

La lettre « f » peut causer bien des problèmes, car la barre du centre est souvent formée par un trait continu de la boucle inférieure au trait central (fig. 13). Le trait descendant tracé, la plume est ramenée vers le haut pour former la boucle inférieure et croise à nouveau le trait descendant pour former la barre centrale de liaison. Le « k » sera formé en traçant un second trait en boucle ou bien droit (fig. 14). Il est également possible de tracer des versions rondes et incurvées du « v » et du « w », alors que le « z » a deux versions : normale ou avec queue.

Les capitales de l'écriture Copperplate sont illustrées à la figure 15 ; d'autres possibilités sont illustrées par la figure 16.

On peut embellir ces capitales et en faire de jolies lettres arabesques pour agrémenter le texte (fig. 17).

fig.7. Terminaisons carrées pour traits ascendants.

fig.8. Terminaisons en boucle pour traits ascendants.

fig.9. La hauteur des traits ascendants doit être constante.

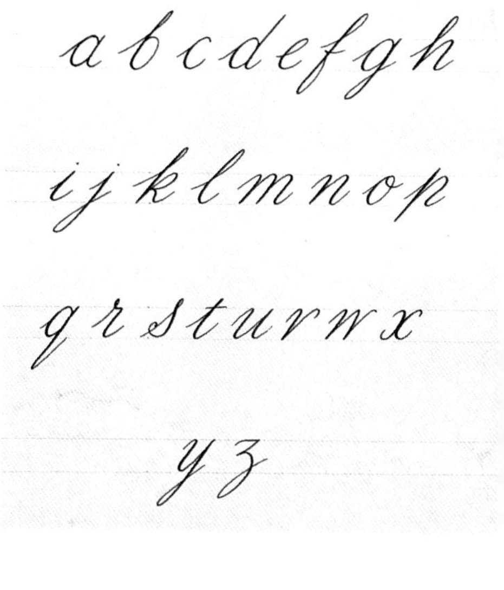

fig10. Alphabet complet avec traits ascendants et descendants bouclés.

fig.11. Traits de liaison pour lettres difficiles.

fig.12. Certaines lettres peuvent être formées différemment pour incorporer un trait de liaison.

fig.13. Deux versions de la lettre « f ».

fig.14. Quelques autres choix de lettres.

fig.15. Les capitales.

fig.16. Autres versions de certaines capitales.

fig.17. Capitales avec fioritures.

Fabriquer un carton d'invitation à un mariage

Pour créer un carton d'invitation à un mariage, faites d'abord un brouillon des lettres suivant la forme et la grosseur désirées, en insistant sur les plus importantes lignes de texte, soient celles qui indiquent les noms et le lieu de la cérémonie (étape 1).

Commencez par choisir le format de lettres qui produira le meilleur effet en essayant différentes variantes jusqu'à ce que vous ayez trouvé la meilleure combinaison de formats (étape 2).

Quand vous serez satisfait de votre brouillon, mesurez et tracez les lignes-guides et les points de repère sur le carton que vous aurez choisi et commencez à écrire (étape 3).

Étape 1. Brouillon pour un carton d'invitation à un mariage.

Étape 2. Le brouillon découpé et collé.

Étape 3. Commencez à tracer vos lettres.

Adresser des enveloppes

Avant d'écrire les adresses sur les enveloppes, préparez un gabarit pour ne pas avoir à tracer des lignes-guides sur chacune d'elles. Mesurez soigneusement et découpez un morceau de carton aux dimensions de l'enveloppe, de manière à ce que le carton puisse y entrer et ne plus bouger (étape 1). Cela empêchera le carton de glisser et les lignes d'être déplacées.

Des lettres de 3 mm de haut (environ 1/8 po) conviennent à la plupart des enveloppes.

Six ensembles de lignes-guides suffiront pour tracer la plupart des adresses. Tracez les lignes sur le carton, en laissant 7 mm (environ 5/16 po) entre chacune. Laissez une marge raisonnable au haut et du côté gauche. Faites un retrait de valeur égale à chaque alinéa. Pour les enveloppes plus petites et plus carrées (étape 2), le retrait devrait être d'environ 5 mm (à peu près 3/16 po). Pour une enveloppe plus longue (étape 3), il sera de 10 mm environ (à peu près 7/16

po), pour permettre un meilleur usage de toute la partie utilisable.

Les lignes-guides doivent être assez épaisses pour être bien visibles à travers l'enveloppe (étape 4).

Si une adresse compte seulement quatre lignes de texte, commencez à l'écrire sur la deuxième ligne, afin qu'elle soit mieux centrée sur l'enveloppe (étape 5).

Étape 1. Faites un gabarit pour adresser les petites enveloppes.

Étape 2. Sur une petite enveloppe, le retrait de chaque ligne sera de 5 mm.

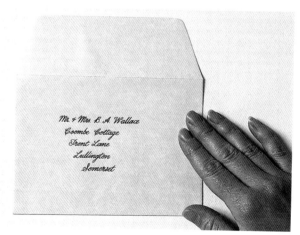

Étape 3. Les retraits sur les longues enveloppes seront de 10 mm à chaque ligne.

Étape 4. Les lignes doivent être assez épaisses pour être bien visibles à travers l'enveloppe.

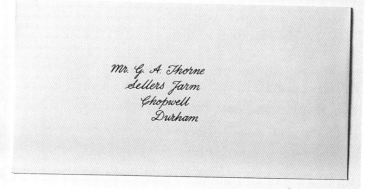

Étape 5. Commencer à écrire les adresses courtes sur la deuxième ligne du gabarit.

Faites un plan de table.

Étape 1. Calculez la grosseur du texte qui convient au format du carton de montage.

Étape 2. Commencez à tracer vos lettres.

Étape 3. On peut ajouter une bordure simple de couleurs assorties.

Étape 4. On se sert d'un tire-ligne pour tracer la bordure.

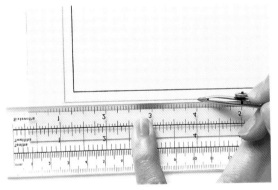

Notre prochain projet est de créer un plan de table. Il doit être assez grand pour que plusieurs personnes puissent le voir du même coup lorsque vous l'exposerez. Si vous désirez qu'il tienne en place tout seul, utilisez un panneau de montage dont la surface convient à la calligraphie, disponible dans une grande diversité de couleurs dans la plupart des boutiques d'art.

Disposez les places des convives — 11 dans l'exemple illustré — sur votre brouillon dans l'ordre que vous désirez leur donner dans la salle à dîner.

Choisissez un format de lettres qui vous permettra de faire entrer tout le texte à l'intérieur du panneau de montage. Les panneaux de montage vendus dans les boutiques d'art mesurent normalement 60 x 85 cm (à peu près 23 3/4 x 33 5/8 po) (étape 1), mais vous pouvez trouver des pièces de plus grand format chez les encadreurs.

Écrivez les noms et les titres de vos invités (étape 2). Étant donné le nombre d'invités dans notre exemple, il a fallu utiliser des lettres de 3 mm de haut pour que tous les noms puissent être tracés sans que le tableau ait l'air encombré. Le titre a été tracé avec des lettres de 10 mm de hauteur, en équilibre avec le reste du texte.

Ajoutez une bordure simple pour décorer le plan (étape 3) ; servez-vous d'une règle et d'un tire-ligne (étape 4).

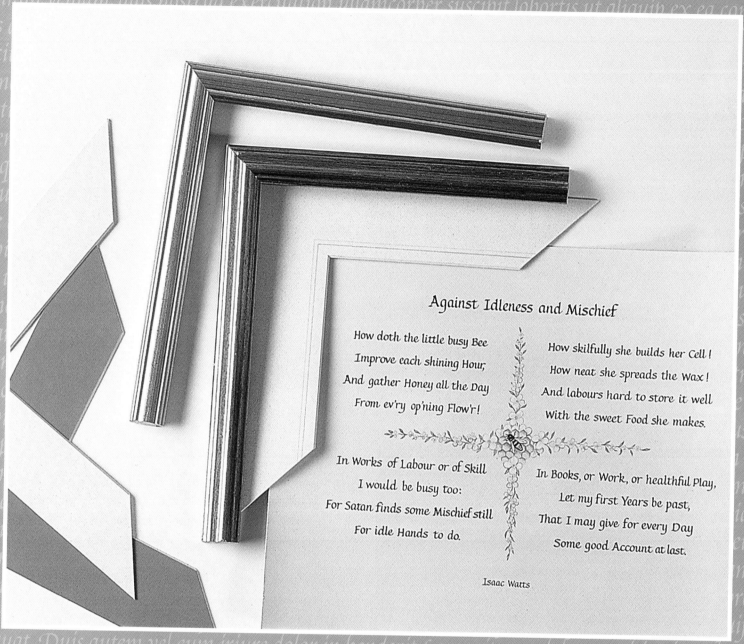

Montage, encadrement et entretien

11

Montage, encadrement et entretien

Plus vos progrès vous permettront de créer des pièces complexes, plus vous y mettrez de temps et d'efforts et vous

voudrez probablement encadrer vos œuvres. Quand vous apporterez vos pièces chez l'encadreur, pensez à lui

demander de leur ajouter un passe-partout, car cela peut vraiment améliorer l'apparence d'une œuvre (fig. 1).

Habitués à conseiller les gens, les encadreurs savent en général exactement ce qu'il leur faut, alors il vaut la peine de

demander leur avis. Normalement, les encadreurs gardent en stock une très grande diversité de passe-partouts de

couleurs et vous pourrez en choisir une assortie ou complémentaire aux couleurs de votre travail. L'encadreur coupera

le passe-partout en biseau (fig. 2) ; il pourra même, si vous le désirez, tracer des lignes de couleur additionnelles près

des bords du passe-partout, pour rehausser l'effet d'ensemble (fig. 3).

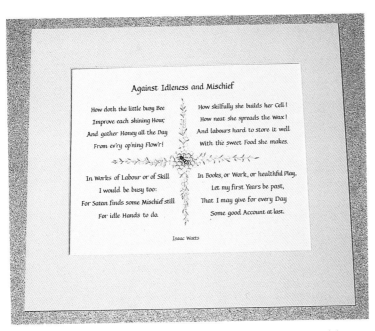

fig.1. Un simple passe-partout peut rehausser l'allure d'une pièce encadrée.

Que vous prévoyiez ou non d'y ajouter un passe-partout, laissez toujours de larges marges autour de votre œuvre pour qu'elle ne donne pas l'impression d'avoir été tassée dans un cadre (fig. 4). Si vous projetez d'exposer une de vos pièces sur un des murs de votre demeure, calculez à l'avance ses dimensions finales en incluant le passe-partout et le cadre.

Pour le cadre, vous devrez choisir dans une grande gamme de moulures, la plupart faites de bois doré, verni ou poli. On vous montrera de surcroît une grande variété de cadres avec moulures de couleur et différents effets de peinture et de teinture. Les échantillons de cadres viennent en formes de coin que vous pouvez tenir devant votre œuvre, par-dessus un morceau de passe-partout, également en forme de coin ; vous aurez ainsi une bonne idée de l'aspect final de la pièce (fig. 5).

L'encadreur vous demandera probablement de choisir entre un verre avec ou sans reflet (fig. 6). Étant donné que le verre sans reflet est légèrement dépoli pour empêcher la lumière d'y réfléchir l'image de la personne qui regarde, on y perd un certain degré de clarté et ce verre réduit sensiblement l'éclat général de l'œuvre. Vous devrez faire la part des choses entre cet inconvénient et la possibilité que l'œuvre soit accrochée dans une position où la lumière y serait directement reflétée. Il serait alors difficile de bien voir le tableau sans devoir le regarder sous plusieurs angles différents. Notez qu'il est préférable de suspendre les œuvres calligraphiques de façon à ce qu'elles ne soient pas exposées à une lumière directe, car cela ferait vieillir la surface et pourrait même faire pâlir certaines couleurs avec le temps.

Comme vous pouvez le constater, vous devrez faire un tas de compromis au moment de faire encadrer votre œuvre. C'est la raison pour laquelle vous devriez dès maintenant commencer à soupeser les différentes options de manière à choisir la meilleure solution en fonction de vos exigences.

Inspirations calligraphiques

Pour quelques-uns des projets étudiés dans ce livre, il n'y a rien de mieux à faire que de vous référer à des exemples historiques de calligraphie. Les grandes bibliothèques donnent accès à de nombreux manuscrits médiévaux, incluant les Évangiles Lindisfarne, l'un des exemples de calligraphie les mieux connus. Le Livre des psaumes de Bedford est aussi célèbre pour ses enluminures. Les manuscrits arabes contiennent habituellement des schémas aux couleurs étonnantes.

Vous pouvez aussi vous inspirer de documents issus des quatre coins du monde. Vous pourrez trouver des cartes postales et des livres illustrant des échantillons de ces documents ; prenez la peine de les étudier dans vos moments de loisir.

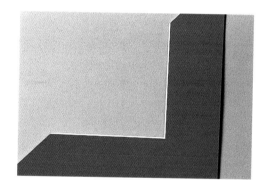

fig.2. Passe-partout à rebords en biseau.

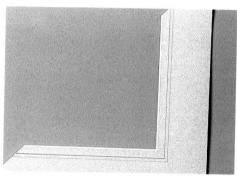

fig.3. Lignes de couleur autour de l'ouverture.

fig.4. Le premier de ces exemples a des marges trop petites, le second a des marges aux proportions correctes.

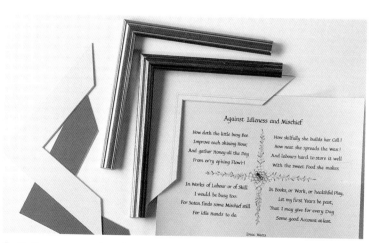

fig.5. Des morceaux de cadres et de passe-partouts en forme de coins sont utiles pour décider quelle combinaison privilégier.

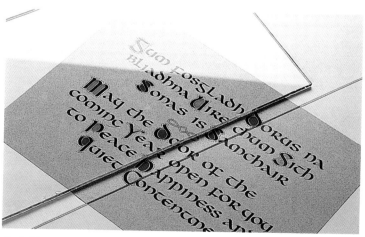

fig.6. Verre avec reflet et verre sans reflet.

Index